Bayerische Königsschlösser

Bayerische

Linderhof
Neuschwanstein
Herrenchiemsee

Königsschlösser

Von Sigrid Russ

Mit 40 Farbaufnahmen von Kurt Furtner
Foto Löbl-Schreyer und Werner Neumeister

Bildlegenden und Resümees
in englisch und französisch

Süddeutscher Verlag

Gestaltung des Schutzumschlages: Rudolf Miggisch
Umschlag-Vorderseite: Neuschwanstein, Bild 13;
Rückseite: Linderhof, Bild 1.

Englische Übersetzung von Patricia Goehl,
französische Übersetzung von Janine Impertro

Fotonachweis:
Kurt Furtner: Bild 8, 9, 15, 18, 19, 20, 22, 27, 28, 29, 30, 31, 32, 33, 35, 36, 38, 39
Foto Löbl-Schreyer: Bild 1, 13, 25
Werner Neumeister: Bild 2, 3, 4, 5, 6, 7, 10, 11, 12, 14, 16, 17, 21, 23, 24, 26, 34, 37, 40

Die drei Grundrisse wurden freundlicherweise von der Bayerischen Verwaltung der staatlichen Schlösser, Gärten und Seen zur Verfügung gestellt.

Verlag und Photographen danken den Herren Kustoden der Schlösser Linderhof, Neuschwanstein und Herrenchiemsee für die freundliche Unterstützung bei der Anfertigung der Aufnahmen.

ISBN 3-7991-5954-1

Reproduktion und Druck: Karl Wenschow GmbH, München.
Bindearbeit: R. Oldenbourg, München.

Inhalt

Ludwig II. 6

Linderhof 12
  Der Garten 42
  Maurischer Kiosk 44
  Venusgrotte 46

Neuschwanstein 48

Herrenchiemsee 79
  Die Gartenanlagen 108

Grundrisse 112

Literaturverzeichnis 114

Künstlerverzeichnis 115

English summary 116

Résumé français 118

Bilderverzeichnis

1. Linderhof, Blick vom Gartenparterre zum Schloß
2. – Vestibül
3. – Westliches Gobelinzimmer
4. – Audienzzimmer
5. – Lila Kabinett
6. – Schlafzimmer
7. – Durchblick zum Speisezimmer
8. – Östliches Gobelinzimmer
9. – Spiegelsaal
10. – Blick zum südlichen Terrassengarten
11. – Maurischer Kiosk
12. – Pfauenthron im Maurischen Kiosk
13. Neuschwanstein, Blick auf das Schloß von Osten
14. – Oberer Schloßhof mit Palas und Kemenate
15. – Adjutantenzimmer
16. – Arbeitszimmer
17. – Grotte
18. – Wohnzimmer
19. – Ankleidezimmer
20. – Schlafzimmer
21. – Speisezimmer
22. – Sängersaal
23. – Sängersaal, Detail
24. – Thronsaal
25. Herrenchiemsee, Blick vom Parterre zum Schloß
26. – Vestibül
27. – Prunktreppe
28. – Hartschiersaal
29. – Erstes Vorzimmer
30. – Zweites Vorzimmer
31. – Paradeschlafzimmer
32. – Spiegel im Paradeschlafzimmer
33. – Beratungssaal
34. – Große Spiegelgalerie
35. – Kriegssaal
36. – Schlafzimmer
37. – Blauer Salon
38. – Porzellankabinett
39. – Kleine Galerie
40. – Ankleidezimmer

Ludwig II.

»Ein ewiges Rätsel bleiben will ich
mir und anderen.«

(Ludwig II.)

101 Kanonenschüsse verkündeten am 25. August 1845 den Münchnern, daß Kronprinz Max und seiner Gattin Marie, Prinzessin von Preußen, ein Sohn geboren worden war. Das Kind wurde nach seinem Großvater auf den Namen Ludwig getauft, und König Ludwig I., der am gleichen Tag Geburtstag hatte, übernahm auch voll Stolz und Freude die Patenschaft. Nach seiner mit der Lola Montez-Affaire begründeten Abdankung folgte ihm 1848 Max als König Maximilian II. auf den bayerischen Thron, von Anfang an darum bemüht, einen Musterkönig abzugeben. Dieselbe Korrektheit und Nüchternheit, mit der er seine Pflichten als Landesvater erfüllte, prägten auch sein Familienleben und das Verhältnis zu den beiden Söhnen, Ludwig und dessen um drei Jahre jüngeren Bruder Otto. Seine auf Distanz und Strenge gegründete Erziehung ließ eine tiefere Beziehung zu dem übersensiblen, phantasievollen Knaben nicht aufkommen, und auch die Mutter, eine zwar gütige, doch sehr einfache Frau, brachte ihm nicht das Verständnis entgegen, das er gebraucht hätte. Das einzige, was Ludwig mit seinen Eltern gemeinsam hatte, war die Liebe zu den Bergen und die Freude an dem vom Vater ausgebauten Schloß Hohenschwangau, das für seinen späteren Lebensstil so bestimmend werden sollte.

Als Maximilian II. am 10. März 1864 überraschend starb, trat der achtzehnjährige Ludwig innen- wie außenpolitisch ein schweres Erbe an. Außenpolitisch war Bayern bereits in den Sog der Ereignisse geraten, die schließlich in die Reichsgründung von 1871 mündeten: Der deutsch-dänische Krieg (1864) und die Abtretung von Schleswig-Holstein an Österreich und Preußen hatten die Gegensätze zwischen den beiden Großmächten innerhalb des Deutschen Bundes derart verschärft, daß es 1866 schließlich zur bewaffneten Auseinandersetzung kam. Bayern und die Mehrzahl der Bundesmitglieder wurden an der Seite Österreichs gegen Preußen in einen Bruderkrieg verwickelt, der dem jungen König, der seine Regierungsgeschäfte mit großer Energie aufgenommen hatte, zutiefst zuwider war. Seine einzige Hoffnung, daß die »gerechte Sache« siegen werde, ging nicht in Erfüllung. Nach der Niederlage Österreichs und seiner Verbündeten wurde der Deutsche Bund – seit dem Wiener Kongress Garant der politischen Stabilität in Mitteleuropa – aufgelöst, und Bayern mußte mit Preußen ein Schutz- und Trutzbündnis schließen. Die zu zahlende Kriegsentschädigung betrug 30 Millionen Gulden, 10 Millionen mehr als die Österreichs. Ludwig war über den totalen Fehlschlag seiner bundestreuen Außenpolitik, bei der er sich der überragenden militärischen Macht Preußens beugen mußte, so bestürzt, daß er an Abdankung dachte.

Die nun folgende Politik der Annäherung an Preußen wurde durch die Berufung des national gesinnten Fürsten Chlodwig von Hohenlohe zum Außenminister dokumentiert. Der König hatte zwar erfahren müssen, mit welcher Kaltblütigkeit Preußen nach 1866 die Herrscherhäuser von Hannover, Hessen-Kassel und Hessen-Nassau vertrieb und deren Land annektierte, aber dennoch schien die Anlehnung an den mächtigsten deutschen Staat der einzige Weg, Bayerns Unabhängigkeit, die Ludwig so sehr am Herzen lag, wenigstens teilweise zu wahren. Als daher 1870 wegen der Hohenzollernschen Thronkandidatur in Spanien der Krieg zwischen Preußen und Frankreich vor der Tür stand, entschloß er sich ohne langes Zögern, den Bündnisfall als gegeben anzusehen. Auf dem Schlachtfeld erkämpfte sich Bayern ein Recht auf bevorzugte Mitsprache bei den Verhandlungen um die Gründung des Deutschen Reiches, und Preußens Ministerpräsident Bismarck war seinerseits peinlich darauf bedacht, Ludwigs Empfindlichkeit in der Frage der weiteren Selbständigkeit Bayerns zu schonen, das somit bedeutsame Reservatsrechte in das Reich hinüberretten konnte. Freilich mußten diese Sonderrechte durch eine bayerische Initiative gesichert werden, die sich Ludwig II. nur schwer abringen konnte: In seinem berühmten Kaiserbrief vom 30. November 1870 mußte er den preußischen König Wilhelm um die Übernahme der Kaiserwürde ersuchen. Als am 18. Januar 1871 im Spiegelsaal von Versailles Wilhelm zum Deutschen Kaiser proklamiert wurde, war Ludwig jedoch nicht dabei. Für ihn bot dieser Tag nicht den geringsten Anlaß zur Freude, hatte doch gerade er, dem Unabhängigkeit und Heiligkeit der bayerischen Königskrone so unendlich viel bedeuteten, das Schauspiel der Reichsgründung nicht nur miterleben müssen, sondern war auch noch gezwungen worden, darin als Realpolitiker wider Willen eine führende Rolle zu spielen. Wieder einmal dachte er an Rücktritt und sogar an Selbstmord.

Nach den leidvollen politischen Erfahrungen der ersten Regierungsjahre zog sich Ludwig mehr und mehr aus dem öffentlichen Leben und der Hauptstadt München zurück. Seine auf das mittelalterliche Feudalsystem und den Absolutismus gegründete Vorstellung vom Königtum war unvereinbar mit der passiven Rolle eines konstitutionellen Monarchen als bloße Repräsentationsfigur. Er haßte es, sich »neugierigen Gaffern . . . zu produzieren« und sich »als Ovationsopfer herzugeben«. Was ihn an den Bourbonenkönigen so faszinierte, war – trotz seiner Liebe zur großartigen Inszenierung – nicht die auf Repräsentation bedachte pompöse Selbstdarstellung, sondern deren Unantastbarkeit und die enge Verbindung, ja Identität von Königtum und Kunst.

Ludwigs Königtum war kein selbstgewisses, vielmehr ist es ein mit sich selbst um Verwirklichung ringendes Königtum, das, nach dem Vorbild des Gralskönigs Parsifal, »durch Demuth und Vernichtung des Bösen im Innern erworben wird, worin die wahre Gewalt liegt.« Der Kampf wird in der Einsamkeit geführt, fern von der Prosa des politischen Alltags, der ihn mit seinen »Polypenarmen« bedrohte, und Medien dieser anspruchsvollen Selbstverwirklichung sind ihm Natur und Kunst. »Im teuren poesiedurchwehten Hohenschwangau, im lieben Berg am Ufer des Sees, auf den Gipfeln der Berge, in der einsam gelegenen Hütte oder in der Rokoko-Pracht« seiner Gemächer in Linderhof fand er nicht nur Zuflucht, sondern konnte er ganz seinen Idealen leben.

»Trost und Balsam für so manches Herbe und Schmerzliche«, das ihm das »sehr zuwidere 19. Jh.« zufügte, fand er auch im Studium fesselnder Werke. Doch Ludwig las nicht nur ununterbrochen historische Werke – ein Interesse, das ihn übrigens ganz als Kind seiner geschichtsbewußten Zeit ausweist – sondern er bemühte sich um das Verständnis vergangener

Epochen auch in seinen Bauten und den von ihm in Auftrag gegebenen Theaterstücken. Das Theater und auch die Oper sind für Ludwig II. daher ebensowenig Orte der gesellschaftlichen Kommunikation wie seine Schlösser, sondern weihevolle Stätten, um sich in den Geist der Zeiten zu versenken. Als sehr störend empfand er dabei die Neugier der Menge und suchte die Aufführungen seit 1872 nur noch bei Separatvorstellungen auf: »Ich kann keine Illusion im Theater haben, solange mich die Leute unausgesetzt anstarren und mit ihren Operngläsern jede meiner Mienen verfolgen! Ich will selbst schauen, aber kein Schauobjekt für die Menge sein.«

Der König kann als menschenscheu charakterisiert werden, soweit man sein Verhalten an den Pflichten mißt, die in der zweiten Hälfte des 19. Jahrhunderts mit dem Amt eines konstitutionellen Monarchen verbunden waren. Hat er als Repräsentant des Königreiches daher versagt, galt er in der persönlichen Beziehung hingegen als ein umgänglicher und äußerst liebenswürdiger Mensch, der stets darauf bedacht war, anderen eine Freude zu bereiten. Die finanzielle Misere der letzten Lebensjahre ist nicht zuletzt durch die zahlreichen und großzügigen Geschenke verursacht worden, mit denen er seinen Gärtner ebenso zu überraschen pflegte wie Mitglieder der königlichen Familie oder eine verehrte Schauspielerin.

Über das Verhältnis Ludwigs zu den Frauen ist viel gerätselt worden. Während er selbst wenigstens in den ersten Jahren seiner Regierung durch seine Erscheinung großen Eindruck auf das weibliche Geschlecht machte, scheint er seinerseits nur wenigen Frauen echte Zuneigung entgegengebracht zu haben. Zu diesen Ausnahmen gehörte seine schöne Kusine, die Kaiserin Elisabeth von Österreich. Mit deren Schwester Sophie, seiner Elsa und Brünnhilde zugleich, verband ihn vor allem die gemeinsame Wagnerverehrung. Die Verlobung mit ihr löste er, um, wie es heißt, das »immerwährende Drängen und Treiben« von Sophies Eltern »vom Halse« zu haben. An eine Heirat hat er seitdem nie mehr gedacht.

Von dem ausgesprochen schwärmerischen Charakter seiner Männerfreundschaften zeugen viele Briefe, obgleich seine überspannte Ausdrucksweise auch den mißglückten Versuch darstellt, zu einem Stil zu finden, der einem König, der sich dem »Reich der Poesie« verpflichtet fühlte, angemessen war.

Unter den freundschaftlichen Beziehungen, die meist mit einer großen Enttäuschung endeten, war nur eine von wesentlichem Einfluß auf sein Leben: die zu Richard Wagner.

Seit Ludwig als Fünfzehnjähriger Wagners ›Lohengrin‹ besucht hatte und damit seine erste Oper überhaupt, blieb das Werk des Komponisten, Dichters und Kunsttheoretikers für seine geistige Entwicklung richtungweisend. Sofort nach seiner Thronbesteigung im März 1864 ließ er nach seinem »besten Lehrer und Erzieher« schicken, der sich gerade wieder einmal auf der Flucht vor seinen Gläubigern befand und in dieser Rettung aus der Notlage ein wahres Wunder zu sehen glaubte. Der junge König wollte fortan nicht nur alles tun, um ihn »für vergangene Leiden zu entschädigen«, sondern träumte von einem gemeinsamen Kunstschaffen, »das der späteren Nachwelt als leuchtendes Vorbild« dienen sollte. Auf seinen Wunsch ließ sich Wagner noch im selben Jahr in München nieder und seine Inszenierungen für Ludwig II. bildeten den glanzvollen Höhepunkt des Münchner Opernlebens.

Aber auch das Verhältnis zu dem genialen Künstler wurde mit den Jahren zunehmend kühler. Daß der König bereits 1865 dem Druck seiner Umgebung nachgab und Wagner, der sich durch seine maßlose Verschwendungssucht und ungeschickte Einmischung in innenpolitische Belange in weiten Kreisen unbeliebt gemacht hatte, aus München auswies, zeigt deutlich, daß ihm nicht so sehr an dessen Person als vielmehr an seinem Werk gelegen war. Sein eigener Name wird mit der Schöpfung des Tristan, der Meistersinger, des Ringes und des Parsifal wie auch mit den Bayreuther Festspielen immer verbunden bleiben.

Mit dem Rückzug des Königs aus dem öffentlichen Leben wurden Stimmen laut, die Zeichen der Geisteskrankheit in seinem Verhalten zu sehen glaubten. Seit 1875 war die Krankheit seines Bruders Otto offen zum Ausbruch gekommen und auch bei Ludwig vermutete man dieselbe unglückliche Vererbung.

Da sich der Umgang des Königs auf einen kleinen Kreis von Menschen beschränkte, blieben die Außenwelt und besonders die nachrichtenhungrigen Zeitungen vielfach auf Spekulationen angewiesen. Aufsehen erregte in der Landeshauptstadt besonders die mysteriöse Lebensweise Ludwigs in den Bergen mit seinen mitternächtlichen Ausfahrten und Ausritten. Zum Verhängnis sollten ihm aber schließlich seine aufwendigen Schloßbauten werden, die seine beschränkten finanziellen Mittel bei weitem überstiegen. Auch die Zuwendungen, die der König seit 1872 von Bismarck erhielt, konnten das ständig anwachsende Loch in der Kabinettskasse nicht mehr stopfen, und 1884 mußte bei einem Bankkonsortium ein Darlehen über 7500000 Mark aufgenommen werden. 1886 benötigte Ludwig jedoch schon insgesamt 20 Millionen Mark für die Weiterführung der Bauarbeiten und Rückzahlung der Schulden, eine Summe, die freilich niemand aus seiner Umgebung zu beschaffen wußte. Die Anrufung des Landtages wurde von seinen Ministern als aussichtsloses Unterfangen abgelehnt; vielmehr war das Ministerium in Übereinstimmung mit Prinz Luitpold von der Notwendigkeit überzeugt, daß nur die Entmündigung des Königs und die Einrichtung einer Regentschaft die verfahrene Lage bereinigen könnten. Ein recht anfechtbares Gutachten vom 8. Juni 1886 erklärte Ludwig II. für unheilbar geisteskrank und zwei Tage darauf wurde ihm seine Entmündigung in Neuschwanstein zur Kenntnis gebracht. Er reagierte zunächst mit heftigem Zorn, dann tiefer Bestürzung und Selbstmordabsichten, ließ sich aber schließlich doch ohne allzu großen Widerstand unter der Leitung des Irrenarztes Dr. Gudden nach Schloß Berg am Starnberger See bringen. Dort fand Ludwig II. am 13. Juni bei einem Spaziergang im Park gemeinsam mit Gudden den Tod im See.

Über das tragische Ende des Königs gibt es zahlreiche Theorien. Am naheliegendsten wäre es, an einen Selbstmord zu denken, aber auch ein Fluchtversuch liegt im Bereich des möglichen. Dabei könnte er, bei dem Versuch, den ihn begleitenden Arzt niederzuringen, im kalten Wasser einen Herzschlag erlitten haben. Die genauen Umstände seines Todes werden sich wohl nie mehr aufklären lassen, und so war sein Ende wie sein Leben: »Ein ewiges Rätsel bleiben will ich mir und anderen«.

Linderhof

»O, es ist notwendig, sich solche Paradiese zu schaffen, solche poetischen Zufluchtsorte, wo man auf einige Zeit die schauderhafte Zeit, in der wir leben, vergessen kann.«
(Ludwig II. an die Baronin Leonrod)

Die geschilderten privaten und politischen Enttäuschungen seiner ersten Regierungszeit haben Ludwig II. in dem Entschluß bestärkt, sich weit außerhalb des »so namenlos ungern bewohnten München«, in den geliebten bayerischen Bergen, ein Refugium zu schaffen. Auf der Suche nach einem geeigneten Bauplatz fiel seine Wahl auf das einsame Graswangtal in den Ammergauer Bergen, das ihm von Kindheit an vertraut war. Sein Vater, Maximilian II., besaß dort als Jagdhaus den sogenannten ›Linderhof‹, einen ehemaligen Zehenthof des Klosters Ettal, benannt nach einer Familie Linder, die ihn bewirtschaftet hatte. Ihr Familienname leitet sich von einer uralten Linde her, die noch heute, merkwürdig unsymmetrisch, in dem streng axial angelegten Garten des Schlosses steht.

Da Ludwig das königliche Gebiet um den Hof für seine *Baupläne* zu eng erschien, erwarb er 1868 ein weites Areal dazu. Ein Jahr vorher nämlich hatte er anläßlich der Pariser Weltausstellung Schloß Versailles besucht und wünschte nun, zutiefst beeindruckt von diesem Erlebnis, ein neues Versailles entstehen zu lassen, um den verehrten Bourbonenkönigen und ihrer unwiederbringlichen Zeit ein Denkmal zu setzen, in dem er zugleich seinem Traum vom absoluten Herrschertum nachhängen konnte. »Meicost Ettal« nannte er geheimnisvoll dieses Schloßprojekt, ein Anagramm der Devise Ludwigs XIV. »L' état c'est moi«. Das spätere Schloß Herrenchiemsee, mit dem er diese Absicht verwirklichte, sollte also ursprünglich in Linderhof entstehen; erst 1873 bestimmte der König als endgültigen Standort die Chiemseeinsel, die für eine Anlage von solcher Größenordnung ungleich bessere Möglichkeiten bot.

Neben dem Plan für ein zweites Versailles befaßte sich Ludwig auch mit dem Projekt einer vierflügeligen Schloßanlage im byzantinischen Stil. Aber

1 Schloß Linderhof

Die Eingangsseite vom südlichen Hauptparterre aus gesehen. Springbrunnengruppe der ›Flora mit Putten‹ in vergoldetem Zinkguß.

1 Linderhof Palace

The entrance as seen from the south main parterre. Fountain group in gilded zinc, "Flora with putti".

1 Château de Linderhof

Façade d'entrée vue du parterre principal sud. Fontaine avec un groupe «Flore et putti» en zinc doré.

EC PLURIBUS IMPAR

2 Linderhof, Vestibül

In der Mitte das Reiterstandbild Ludwigs XIV. Darüber ein Sonnenhaupt mit Strahlenkranz als Emblem des ›Sonnenkönigs‹ und die Devise der Bourbonen »NEC PLURIBUS IMPAR« (Auch vielen gewachsen).

2 Linderhof, Vestibule

In the middle an equestrian statuette of Louis XIV. Above a sun-in-splendour as emblem of the "Sun king" and motto of the Bourbons "Nec pluribus impar" (No unequal match for several).

2 Linderhof: vestibule

Au milieu, la statue équestre de Louis XIV. Au-dessus, un soleil entouré d'un halo comme emblème du Roi Soleil, avec la devise des Bourbons «NEC PLURIBUS IMPAR» (supérieur à tout le monde).

auch dieses Vorhaben wurde in Linderhof nicht verwirklicht und schien lange Zeit vergessen, um erst gegen Ende seines Lebens in anderer Form wieder aufzutauchen: im Thronsaal von Schloß Neuschwanstein und im Entwurf zum Schlafzimmer der geplanten Burg Falkenstein. Der Anspruch des Gottesgnadentums seiner Mission hat den König mit zunehmendem Alter auch im Zusammenhang mit Wagners Parsifal mehr und mehr beschäftigt, und zweifellos sah er in dem theokratisch regierten Ostrom ebenso die Erfüllung seiner Idealvorstellung vom Königtum wie im absolutistischen Frankreich des 18. Jahrhunderts. Die Versailler Idee blieb jedoch auch in Linderhof gegenwärtig, wo sie, im Gegensatz zu dem offiziellen Charakter von Schloß Herrenchiemsee, ganz private Formen annahm; dem Umfang nach schließlich das bescheidenste der drei Königsschlösser, sollte es auch das einzige werden, dessen Vollendung Ludwig erlebte und das er viele Jahre bewohnt hat.

Bevor jedoch mit dem Bau von Schloß Linderhof begonnen wurde, ließ sich der König zuerst das alte *Jagdhaus* instandsetzen und umgestalten, denn er liebte es, das Fortschreiten der Bauarbeiten so oft wie möglich und aus nächster Nähe zu beobachten, wobei er auf Bequemlichkeit und ein stilvolles Ambiente nicht verzichten mochte. Louise von Kobell, die als Ehefrau des Kabinettssekretärs August von Eisenhart gute Verbindungen zum Hof hatte, berichtet darüber in ihrem Buch ›Ludwig II. und die Kunst‹ folgendes: »Um diesen (nämlich den Aufenthalt) dem König recht behaglich zu gestalten, ließ der Vorstand der Kabinettskassa die Zimmer sehr hübsch, wenn auch nicht prunkvoll, herrichten. In weiß und blau (den bayerischen Landesfarben) hatte er sie sich ausgedacht, die Möbel von Ahorn, der Überzug von blauer Seide gleich der Wandtapete. Und im kleinen Garten mußte ein Springbrunnen plätschern unter Alpenrosen, Farrenkraut und Enzian und zierlich geordneten Blumenbeeten. Durch diese Umwandlung hoffte er, den König nicht nur zu überraschen und zu befriedigen, sondern auch weitere Baupläne ferne zu halten.« Die abschließende Bemerkung scheint freilich nur aus der Rückschau gerechtfertigt – Louise von Kobels Buch erschien 1898 –, denn bei der Planung von Linderhof sind Einwände seitens der Kabinettskasse noch auszuschließen. Bauen galt seit altersher, und gerade unter den Wittelsbachern, als königliches Privileg, das auch Ludwig nicht verwehrt wurde, zumal ja 1868 noch niemand ahnen konnte, daß er Linderhof, wie auch seine anderen Schlösser, ganz allein zu bewohnen gedachte, ohne sie irgendwelchen repräsentativen Zwecken nutzbar zu machen. Seine Bauabsichten sahen außerdem zunächst recht bescheiden aus, denn projektiert war am Anfang nur eine Erweiterung des schon bestehenden Königshäuschens.

Mit diesem Projekt beauftragt wurde der Klenze-Schüler Georg Dollmann, Erbauer der neugotischen Kirche im Münchner Stadtteil Giesing, der seit 1868 Privatarchitekt des Königs war und seit 1875 Hofbaudirektor. Auf ihn geht vermutlich bereits eine erste Skizze des Stallmeisters Richard Hornig zurück, die zu einem Schreiben des Königs von 1870 gehört. Dargestellt ist ein ovaler Salon, flankiert von zwei kleinen hufeisenförmigen Räumen, also nicht mehr als drei Räume, die auf der Nordseite an die Jagdhütte angebaut werden sollten. Noch im selben Jahr entwickelte Dollmann einen durch spiegelbildliche Ergänzung des ersten Grundrisses erweiterten Plan, auf den die Ausführung zurückgeht.

Das Königshäuschen wurde mit einem U-förmig um einen unregelmäßigen Lichthof angelegten Gebäudekomplex verbunden, der durch eine Holztreppe mit Galerie auf seiner Westseite einen separaten Zugang erhielt. In der nördlichen Mitte der neuen Anlage befand sich von Anfang an das zuerst oval konzipierte, dann hufeisenförmig ausgeführte Schlafzimmer des Königs, der größte Raum überhaupt, dessen Fenster sich dem mächtigen Paradebett gegenüber zum Hof hin öffneten. 1872 war der Anbau vollendet und beziehbar. Eine höchst einfache Holzkonstruktion, ein sogenannter Ständerbau auf verputztem Sockelgeschoß in altbayerischer Art bildete den Rahmen für Rokokointerieurs, wie sie dem König auf Grund seiner ersten Reise nach Paris und seiner literarischen Studien zu Kunst und Geschichte der Bourbonen vorschwebten.

Es ist anzunehmen, daß Georg Dollmann nicht ohne Einfluß auf den König war, als dieser im Winter 1872 verfügte, daß neben der Verlängerung des Schlafzimmers um eine Achse eine Fassade im »Rokokostyl« errichtet werden sollte. Dollmann legte dazu verschiedene Projekte vor, die die Ent-

3 Linderhof, Westliches Gobelinzimmer

An den Wänden auf Leinwand gemalte Gesellschafts- und Schäferszenen nach Watteau. Der lebensgroße Pfau aus bemaltem Sèvres-Porzellan wurde nach den Angaben Ludwigs II. gefertigt.

3 Linderhof, West Gobelin Room

On the walls court-life and pastoral scenes after Watteau painted on canvas. The lifesize peacock in painted Sevres porcelain was made to Ludwig II's design.

3 Linderhof: salle des gobelins, dite de l'ouest

Peintures murales sur toile d'après Watteau représentant des scènes mondaines et pastorales. Le paon de grandeur naturelle en porcelaine de Sèvres peinte fut fabriqué d'après les indications de Louis II.

4 Linderhof, Audienzzimmer

Unter dem Baldachin mit dem bayerischen Wappen Thronsessel und Schreibtisch des Königs. Das Gemälde in der Lünette über dem Kamin zeigt die ›Hochzeit des Dauphin in der Schloßkapelle zu Versailles‹.

4 Linderhof, Presence Chamber

Under the baldachin embroidered with the Bavarian coat-of-arms, the throne and writing-table of the King. The painting in the lunette over the fireplace shows the "Wedding of the Dauphin in Versailles Chapel".

4 Linderhof: salle d'audience

Sous le baldaquin aux armoiries de la Bavière, le trône et le bureau du roi. Au-dessus de la cheminée, la peinture de la lunette a pour thème «Mariage du dauphin dans la chapelle de Versailles».

wicklung eines neuen Gesamtplanes verraten. Dieser sah die Umwandlung des baulichen Konglomerats zu einer, wie es hieß, »Königlichen Villa« vor, die sich als einheitlich gestalteter Baukörper präsentiert.

1874 wurde das Königshäuschen abgerissen und auf ausdrücklichen Wunsch des traditionsbewußten Königs weiter westlich wiederaufgebaut, wo es noch heute steht. An Stelle der ehemaligen Hütte entstand ein Südtrakt mit einem Vestibül und drei darüberliegenden Räumen, während in den Hof ein Treppenhaus eingebaut wurde. Im Rahmen dieses Um- und Neubaus mußte die alte Holzkonstruktion des Außenbaus durch eine Ummantelung von Haustein ersetzt werden, die sich an der Südfront durch eine prächtige Schau- und Eingangsseite auszeichnet. 1878 waren die Bauarbeiten bereits abgeschlossen, denn Ludwig blieb stets darauf bedacht, daß sie »mit großem Eifer« vorangetrieben wurden.

Schloß Linderhof geht nicht auf ein bestimmtes Vorbild des 18. Jahrhunderts zurück wie Schloß Herrenchiemsee, und wenn es auch häufig mit dem Petit Trianon in Verbindung gebracht wird, gleicht es doch viel eher einer großbürgerlichen Villa der Gründerzeit. Allerdings hat das abseits vom »Zwange des lästigen ewigen Einerlei des Hofzeremoniells« gelegene Petit Trianon mit seinem lustschloßhaften Charakter den König zum Bau von Linderhof angeregt, als er es 1867 besuchte, und auch der Eindruck des »einsamen, bescheidenen Marly« blieb, wie aus der königlichen Korrespondenz hervorgeht, nicht ohne Einfluß. Ständige Reminiszenzen an das französische ›Vorbild‹, das jedoch überall in Versailles zu suchen ist, werden zudem auch schon während der Bauzeit ständig wachgehalten, indem die Räume auf den Plänen Dollmanns französische Bezeichnungen tragen: »Grande Antichambre«, »Chambre du Conseil«, »Chambre glace«, »Chambre à coucher du Roi« und so fort.

Alle diese Räume wurden im Rokokostil ausgestattet, der auf Anweisung des Königs ja auch beim Außenbau Anwendung finden sollte, eine Aufgabe, die für Dollmann nicht ohne weiteres zu lösen gewesen sein mochte, denn Rokoko bedeutete zunächst einen ornamental-dekorativen Zierstil der Innenausstattung, den es nun auf architektonische Dimensionen am Außenbau zu übertragen galt. Dies geschah durch eine Fülle kleinteiliger architektonischer, skulpturaler und dekorativer Applikationen, wobei Dollmann als gut geschulter historisierender Architekt das ganze stilistische Repertoire des 18. Jahrhunderts aufgeboten hat. Das Ergebnis ist demzufolge ein ganz dem 19. Jahrhundert verpflichteter Eklektizismus mit Elementen aus den Stilen Louis XIII bis Louis XVI und Anklängen in der Gesamtgestalt an den Zwinger in Dresden und die Würzburger Residenz.

Der Bau ist zweigeschossig. Über einer relativ niedrigen Sockelzone aus rustizierten Quadern erhebt sich das hohe, durch gebänderte Pilaster und Säulen, Figurennischen und Fenster gegliederte Hauptgeschoß, dessen oberen Abschluß eine Balustrade bildet. Die drei Mittelachsen der Hauptfassade akzentuieren einen kräftig vorspringenden Risalit, der durch ein Attikageschoß mit drei Ovalfenstern und einem stuckierten Giebel vor einem Kuppeldach bekrönt wird. Der mit einem goldenen Gitter versehene Balkon des Mittelrisalits wird von Atlanten getragen, die im Erdgeschoß drei Portale mit vergoldeten Schmiedeeisengittern flankieren. Die Portale sind rundbogig und entsprechen somit den beiden darüberliegenden Fenstertüren und der mittleren Figurennische. Die Ost- und Westseite der Anlage haben eine der Hauptfassade entsprechende Wandgliederung mit Rustikapilastern, rechteckigen Fenstern und kleinen rundbogigen Figurennischen. Die ovalen Säle bilden auf beiden Seiten einen polygonalen Risalit, der zwar nicht die Fassadenmitte einnimmt, aber in der Fluchtlinie der Mittelachse der seitlichen Gartenparterres steht. Der Risalit wird gegliedert durch zwei seitliche vergitterte Balkone mit rechteckigen Türen und einer mittleren Nische in Muschelform, die von einem gesprengten Giebel überhöht wird. Auch die Rückseite des Schlosses, die Nordseite, ist durch Pilaster, und kleine Figurennischen zwischen den Fenstern aufgelockert. Der mittlere Trakt, der das Schlafzimmer beherbergt, springt mit drei Achsen massiv vor und wird durch ein Attikageschoß mit ovalen Blindfenstern und einem stuckierten Giebel, ähnlich wie der Risalit der Südseite, ausgebildet.

Von ganz besonderem Reiz ist die vielgestaltige Dachlandschaft des Schlosses, die an der Vorderfront von einer gewaltigen Figur des Atlas mit der Weltkuppel überragt wird. Ludwigs Traum von einem universalen Machtanspruch gewinnt darin übermächtige Gestalt und das von Genien ge-

5 Linderhof, Lila Kabinett

Ohne die mit lila Seide bespannten Sitzmöbel. An den Wänden die Bildnisse der Herzogin Marie Anne von Châteauroux, König Ludwigs XV. und der Marquise von Pompadour.

5 Linderhof, Lilac Cabinet

Without the lilac silk-covered chairs. On the walls the portraits of Marie Anne, Duchesse de Châteauroux, King Louis XIV and the Marquise de Pompadour.

5 Linderhof: cabinet lilas

Sans les sièges tendus de soie lilas. Sur les murs, portrait de la duchesse Marie Anne de Châteauroux, du roi Louis XIV et de la marquise de Pompadour.

6 Linderhof, Schlafzimmer

Der größte Raum des Schlosses, der nach dem späten Umbau (seit 1884) unter Eugen Drollinger bis zum Tode des Königs nicht mehr ganz fertiggestellt werden konnte.

6 Linderhof, Bedchamber

The largest room in the palace, which, after the later alterations (from 1884 onwards) under Eugen Drollinger, could not be completed before the death of the King.

6 Linderhof: chambre à coucher

C'est la plus grande pièce du château. Transformée ultérieurement (depuis 1884) sous la direction d'Eugen Drollinger, elle ne put être complètement achevée jusqu' à la mort du roi.

haltene bayerische Wappen im Giebelfeld darunter gibt weithin sichtbar zu verstehen, daß sich alle allegorischen Darstellungen am Außenbau auf Bayern und seinen König beziehen. In den Nischen der Hauptfassade erscheinen als die tragenden Kräfte des Landes ›Lehrstand‹. ›Wehrstand‹, ›Rechtspflege‹ und ›Nährstand‹, neben dem Giebel ›Industrie‹, ›Ackerbau‹, ›Handel‹ und ›Wissenschaft‹. Der kulturelle Bereich wird in den Gebälkfiguren vertreten: zwei Genien- und zwei Puttenpaare repräsentieren die Schönen Künste mit ›Musik‹, ›Dichtkunst‹, ›Architektur‹ und ›Plastik‹. In der Mitte der Frontseite aber steht in einer großen Nische die ›Viktoria‹ als Zeichen des Sieges für König und Nation. Die Figuren teilweise skulptiert, teilweise in dem damals beliebten Zinkguß-Verfahren hergestellt, stammen von den Bildhauern Franz Walker, Philipp Perron und dessen Mitarbeiter Theobald Bechler, die nach dem ikonographischen Programm Dollmanns auch den plastischen Schmuck für die anderen Fassaden des Schlosses geschaffen haben. An der Ostseite verkündet Aurora die ›Geburt des Tages‹ zusammen mit ›Reichtum‹ und ›Frieden‹. Im Westen verkörpert Euterpe die Musik, die Muse Erato die Poesie und Apollo die Wissenschaften. Im Norden schließlich erscheinen die wahrhaft königlichen Tugenden: ›Beständigkeit‹, ›Gerechtigkeit‹, ›Großmut‹ und ›Stärke‹.

Die Verehrung Ludwigs für die Bourbonenkönige hatte von Anfang an für die *Innenausstattung*, die die Fassadengestaltung künstlerisch bei weitem übertrifft, einen royalistischen Stil des Dix-huitième vorgeschrieben, der, unverwechselbar mit dem Pariser und Wiener Neurokoko, zum Rokoko Ludwigs II. werden sollte. Dabei handelte es sich hier nicht um seine ersten Aufträge für ›Rokoko-Zimmer‹, denn kurz nach seiner Thronbesteigung hatte er sich bereits einige Räume in Schloß Berg am Starnberger See, wo er sich häufig und gerne aufhielt, in einem allerdings geradezu bürgerlich schlichten ›Salonrokoko‹ ausstatten lassen. Auch die mehr im neubarocken Stil gehaltene Dekoration und das Mobiliar seiner im letzten Krieg zerbombten Wohnung in der Münchner Residenz, die er bereits 1869 beziehen konnte, vereinte Stilelemente von Henri IV bis Louis XVI.

Ihren Ausgang nahm die Erneuerung des Rokoko in seinem Geburtsland

Frankreich. Schon die Bourbonen, die 1815 wieder an die Macht gekommen waren, richteten den Blick zurück auf die Schlösser ihrer Vorfahren. Der Bürgerkönig Louis-Philippe, der 1830 auf den Thron kam, ließ direkte Stilkopien anfertigen, die unmittelbar an die handwerkliche Tradition der vorrevolutionären Zeit unter Louis XV. und Louis XVI. anknüpften. Die Ursachen liegen vor allem in der allgemeinen politischen Restauration dieser Epoche, die den Stil des ›ancien régime‹ wiederaufleben ließ, um auch in den äußeren Lebensformen den Anspruch auf eine legitime Nachfolge der absolutistischen Monarchen glaubhaft zu machen. Vom Königshaus ausgehend, setzte sich das Rokoko bald als verbindlicher Stil zunächst bei Aristokratie und Großbürgertum durch und nahm schließlich die Form einer wahren Modewelle an, die alle bürgerlichen Schichten erreichte, zumal die industrielle Fertigung eine serienmäßige Herstellung, besonders kleinerer Gegenstände, ermöglichte. Der Bezug erfolgte vor allem durch Bestellungen aus den sogenannten Musterbüchern, Vorläufern unserer Versandhauskataloge, die auch im Ausland vertrieben wurden und wesentlich zur internationalen Verbreitung der neuen Geschmacksrichtung beitrugen.

Nach Paris wurde noch in den dreißiger Jahren Wien zum zweiten großen Zentrum des Neurokoko. Dieses Wiener Rokoko gibt sich jedoch weniger anspruchsvoll, zeichnet sich aber dafür häufig durch eine elegante Linienführung aus. Die von Ludwig umgestalteten Räume in Schloß Berg stehen mit ihrer schon erwähnten Einfachheit und den gedämpften, vornehmen Farben der Textilien ganz unter dem Einfluß der von Wien geprägten Richtung des neuen Stils. München selbst konnte damals noch keine eigenen Anregungen vermitteln, denn in Deutschland waren bis zum siebziger Krieg, der endlich den Sieg über Frankreich und damit eine gewisse Entspannung mit sich brachte, Barock und Rokoko als Stil des Erzfeindes lange geradezu verpönt. Erst das stark auf Repäsentation bedachte Bürgertum der Gründerzeit fand im Neurokoko eine ihm gemäße Wohnform und liebte es, gerade so offizielle Räume wie den Salon im Louis quinze auszustatten.

Die Motive, die Ludwig II. veranlaßt haben, schon Ende der sechziger Jahre diesen Stil nachzuahmen, sind mit seiner ganz persönlichen, auch von der Restauration bestimmten Vorstellung vom Königtum bereits begründet

7 Linderhof, Durchblick ins Speisezimmer

Vom blauen Kabinett aus gesehen. Über der Tür das Gemälde der ›Leda mit dem Schwan‹. Im Hintergrund das Rosa Kabinett.

7 Linderhof, view into the Dining Room

Seen from the Blue Cabinet. Over the door the painting "Leda and the Swan". In the background the Rose Cabinet.

7 Linderhof: échappée sur la salle à manger

Vue du cabinet bleu. Au-dessus de la porte, peinture figurant «Léda et le cygne». A l'arrière-plan, le cabinet rose.

8 Linderhof, Östliches Gobelinzimmer

Vor dem Kaminspiegel Marmorgruppe der drei Grazien. Im Spiegelbild die Wandgemälde auf Leinenstoff mit mythologischen Szenen.

8 Linderhof, East Gobelin Room

On the mantelpiece a marble group of the Three Graces. In the mirror the reflection of wall-hangings of mythological scenes painted on canvas.

8 Linderhof: salle des gobelins à l'est

Devant le miroir suspendu au-dessus de la cheminée, groupe en marbre des trois Grâces. Se reflétant dans le miroir, peintures murales sur toile représentant des scènes mythologiques.

worden. Vorangegangen ist eine intensive Beschäftigung mit der französischen Kunst des 18. Jahrhunderts. Dazu studierte Ludwig neben kunsttheoretischen Werken die damals gängigen Kunstzeitschriften und populären Almanache. Als Anschauungsmaterial dienten allgemeine Bildwerke, darüber hinaus aber beschäftigte er einen riesigen Stab von Künstlern, Photographen und Bediensteten mit der Anfertigung und Beschaffung von Ansichten der verschiedensten Kunstdenkmäler. In dieser Sammlung befinden sich die bekanntesten französischen Schlösser, aber auch viele deutsche Residenzen, darunter die von Bayreuth, Bruchsal, Schwetzingen, Würzburg und auch München. Selbst gereist ist Ludwig in seinem ganzen Leben nur wenig, aber 1867 soll er sich auf der Pariser Weltausstellung mit nimmermüder Aufmerksamkeit den Kunstabteilungen gewidmet haben, in denen das Rokoko zu einem letzten Höhepunkt geführt wurde.

Studium und eigene Anschauung erlaubten dem König, aus allen zur Verfügung stehenden Quellen zu schöpfen und ließen unter der entscheidenden Mitwirkung Georg Dollmanns und anderer entwerfender Künstler ein ganz spezifisches ›Louis deux‹ entstehen, das mit seinem übersteigerten Hang zum Prunkvollen und Prächtigen einzigartig bleibt. Gemessen am Rokoko des 18. Jahrhunderts fällt vor allem die wesentlich reichere und dichtere Formenbildung auf. Die Möbel greifen oft weitschwingend in den Raum aus, und die voluminösen Einzelelemente der Schnitzerei scheinen sich häufig von ihrem Untergrund zu lösen. Dabei reagieren ihre Bewegungen nicht in kontrapostischer Spannung aufeinander, sondern Schwünge und Kurven fallen meist in sich selbst zurück, ohne daß ein durchgehender ordnender Zug entsteht. Die vielfältigen rocaillehaften Ziermotive sind durchsetzt mit für die Zeit typischen naturalistischen Gebilden wie Blättern, Schilf und Blütengehängen. Hinzu kommen Figuren und Embleme. Meistens sind Wand- und Plafonddekorationen, Mobiliar und kunstgewerbliche Gegenstände reich vergoldet, mitunter aber auch ganz naturgetreu farbig gefaßt.

Ist einerseits der französische Einfluß überall spürbar, so wird man doch andererseits an das üppigste bayerische Rokoko der Spätzeit erinnert mit Namen wie Feuchtmayr und Zimmermann, das in der Volkskunst bis tief in das 19. Jahrhundert hinein lebendig blieb. Ludwig II. konnte also auch an eine heimische Tradition anknüpfen und legte besonderen Wert darauf, daß die von ihm in Auftrag gegebene Kunstproduktion ihre entscheidenden Impulse von München erhielt. So mußten beispielsweise die Kamine, Spiegelrahmen und Leuchter, die für das Schloß von der Porzellanmanufaktur Meißen bezogen wurden, genau nach den farbigen Entwürfen und Werkzeichnungen des Büros Dollmann angefertigt werden. Georg Dollmann war auch für die Innenausstattung des Schlosses verantwortlich. Um die ungeheuere Menge der königlichen Aufträge bewältigen zu können, organisierte er einen großen Kreis von Mitarbeitern, zumal der König ja auch ständig zur Eile antrieb und die Arbeiten stets auf Hochtouren laufen mußten. Dem Hoftheaterdirektor Franz Seitz, der das Münchner Kunstgewerbe der Zeit so entscheidend beeinflußte, und unter anderem auch die prunkvollen Karossen und Schlitten des Königs entworfen hat, fiel im Rahmen der Innendekoration eine nicht so bedeutende Rolle zu, wie bisher immer angenommen wurde. Die verschiedenen Wandabwicklungen müssen also nicht ihm, sondern Dollmann zugeschrieben werden. Seitz hingegen lieferte Entwürfe für kunstgewerbliche Gegenstände, Möbel und Textilien, unterstützt von Adolf Seder, der Einzelentwürfe zur Einrichtung, vor allem für Furniermöbel und Bronzen beisteuerte.

Jeder Entwurf, sei es nun zur Wand-, Decken- oder Fußbodengestaltung, für Mobiliar, plastischen Schmuck, Textilien, Ziergegenstände und so fort mußte dem König auf seinen ausdrücklichen Befehl zur Genehmigung vorgelegt werden. Die präzise Vorstellung, die er bereits bei der Auftragserteilung mit dem endgültigen Erscheinungsbild verband, machte ihn zu einem sehr kritischen Betrachter, der häufig selbst Korrekturen vornahm und den Künstlern und Handwerkern bisweilen recht ungehalten durch Hofsekretär Düfflipp seine Änderungswünsche übermitteln ließ. Zu malerische und flüchtige Skizzen wurden als »in der Ferne wie in der Nähe gleich abscheuliches Farbengepatz« auch ganz verworfen. War das Vorgelegte jedoch in seinem Sinne, so ließ er »Seine allerhöchste Zufriedenheit« aussprechen. Trotzdem war der König nicht immer mit den späteren Ausführungen einverstanden. Die Enttäuschung darüber, daß er die Zimmer, obwohl fest versprochen, noch nicht ganz vollendet vorfand, mag dabei den besonders heftigen Ton

9 Linderhof, Spiegelsaal

Das kostbarste Gemach des Schlosses. Vor der Sofanische ein Tisch mit einer Platte in Einlegearbeit aus Lapislazuli, Amethystquarz und Chalzedon.

9 Linderhof, Hall of Mirrors

The most sumptuous room of the palace. In front of the sofa recess, a table inlaid with lapis lazuli, amethyst-quartz and chalcedony.

9 Linderhof: salle des glaces

C'est la pièce la plus précieuse du château. Devant la niche avec un sofa, dessus de table avec des incrustations de lapis lazuli, d'améthyste et de calcédoine.

10 Linderhof, Garten

Blick über das große Bassin auf die südlichen Terrassenanlagen mit bekrönendem Venustempel. Rechts vor der unteren Terrasse die ca. 300jährige Linde, die dem Besitz den Namen gab.

10 Linderhof, Garden

View over the large basin on the south terrace garden with crowning Venus temple. To the right, in front of the lower terrace, the 300-year-old linden tree which gave the property its name.

10 Linderhof: jardin

Vue au-delà du grand bassin sur l'arrangement de terrasses au sud, avec le temple de Vénus qui les couronne. A droite de la terrasse inférieure, le tilleul vieux de 300 ans qui a donné son nom à la propriété.

eines Schreibens an Düfflipp bestimmt haben, dem er am 17. Oktober 1872 unter anderem folgendes melden ließ:

»Daß die Genien über den Türen und am Plafond sowie die Bavaria im Arbeitszimmer weiß sind, sein von Hrn. Dollmann sehr geschmacklos, Majestät seien darüber sehr erstaunt und erzürnt und sollen obige gleich vergoldet werden.

Ebenso geschmacklos sei im Arbeitszimmer, daß der untere Theil desselben Goldverzierungen auf grünem Grunde habe, statt auf weißem; für solche Geschmacklosigkeiten existiere gar kein Ausdruck.

Die Genien ober den Thüren, die das Wappen halten, seien nicht stylgemäß und sollen besser modelliert sein, woran auch die Überwachung von Seite des Hrn. Dollmann gefehlt habe.

Sei die Bavaria auch abscheulich, weil dieselbe nicht so ist, wie sie auf dem ersten Plan gezeichnet, und wie dieselbe auch am Plafond im roten Empfangssalon in München ist, während sie hier den Arm ausgestreckt hat.

In dem früheren Esszimmer hier hat Majestät genau bestimmt, daß Venus mit Amor obern Kamin und Venus und Bacchus obers Fenster kommen sollen, was jetzt gerade das Gegentheil ist, dieß ärgert Majestät am allermeisten, weil dasselbe nicht mehr geändert werden kann.

Daß die Figuren an diesem Plafond plastische Füße haben, will Majestät auch nicht gefallen, auch die Genien sollen nicht plastisch gemacht sein, sondern nur an den Plafond gemalt werden.

Die Armlehnen des Arbeitsstuhls sollen mehr gebogen sein, wie es stylgemäß ist, wenn es noch geändert werden kann.

Herr Maler Zimmermann hat versprochen, daß er das neue Bild sogleich beginnen wird, und daß er in sechs Wochen dasselbe fertig haben wird. Jetzt verlange derselbe drei Monate dafür. Euer Hochwohlgeboren möchten ihm daher diese Arbeit nehmen und einem anderen geben, der es in sechs Wochen, ohne zu überhudeln, gerade so schön macht.«

Die Änderungen wurden, soweit dies noch möglich war, sogleich vorgenommen, und der König, dem schon oft das kleinste fehlerhafte Detail den ersehnten Eindruck zerstören konnte, schließlich doch noch zufriedengestellt.

Trotz des sukzessiv entwickelten Gesamtgrundrisses ist es Georg Dollmann gelungen, aus der Vielfalt der einzelnen Bauformen und ihrer gegenseitigen Zuordnung eine ästhetisch reizvolle, dabei völlig symmetrische Anlage zu schaffen, die beim Durchschreiten durch Gestalt und Farbgebung eine rhythmische Wirkung auslöst und immer wieder durch neue Eindrücke überrascht oder durch Wiederholung auf schon Gesehenes Bezug nimmt und somit die mannigfaltigen Eindrücke zu einer Einheit zusammenbindet.

Das Schloß wird durch die drei großen Südportale betreten, die den Besucher zunächst in ein *Vestibül* führen. Vor die Wand gerückte Marmorsäulen mit einfachen Basen und Kapitellen geben dem querrechteckigen Raum plastische Gliederung und tragen zusammen mit Pilasterrücklagen über einem gebänderten Architrav die verhältnismäßig niedrige Decke. Ihre Stukkaturen zeigen das Emblem Ludwigs XIV., ein Sonnenhaupt im Strahlenkranz, und zwei Putten mit der Devise der Bourbonen »NEC PLURIBUS IMPAR« (»Auch vielen gewachsen«). Darunter, genau in der Mitte, steht eine verkleinerte Nachbildung des 1699 in Paris errichteten und während der Revolution zerstörten Reiterdenkmals des Sonnenkönigs. Natürlich geht die Aufstellung dieser Bronzestatue auf den ausdrücklichen Wunsch Ludwigs II. zurück, der mit der Gestalt des ›Roi Soleil‹ gleich in der Eingangshalle zu demonstrieren wünschte, welcher Geist den Bau von Linderhof beseelte. Zwei Wandnischen mit Kandelabern flankieren den säulengerahmten Zugang zu einem längsgestreckten Vorraum des Treppenhauses, dessen Decke ebenfalls von freistehenden Säulen und Pilastern gestützt wird. Ihr dunkelrot gescheckter Marmor zusammen mit dem Weiß von Wänden und Plafond, der Vergoldung sparsam verteilter Stuckornamente und den hellen Fußbodenkacheln ergeben eine harmonisch-heitere Farbwirkung.

Die Mitte nimmt eine Säule mit einer Porzellanamphore aus der Manufaktur Sèvres ein, angeblich ein Geschenk Napoleons III. an Ludwig II. Ihre Bemalung zeigt Esther vor Ahasver, eine vom König sehr verehrte Frauengestalt. Zwei weitere Vasen mit Zellenschmelz-Malerei stehen rechts und links der zweiflügeligen *Treppe* an der Stirnseite der kleinen Halle. Sie erhält ihr Licht durch ein Glasdach, das den schmalen Treppenschacht gleichmäßig beleuchtet und das Gold der vielfach gewundenen Schmiedeeisengitter, die den Weg nach oben säumen, verheißungsvoll aufleuchten läßt.

Welche Steigerung die Raumausstattung tatsächlich erfährt, ist im Erdgeschoß jedoch kaum zu ahnen. Denn wurde im Entrée mit Zierrat in geradezu klassizistischer Schlichtheit und Strenge verfahren, scheint die erste Etage mit den Wohnräumen des Königs in ihrer sich anscheinend uferlos ausbrei-

11 Linderhof, Maurischer Kiosk

Ein ursprünglich nicht für Linderhof geschaffener Zierbau, der nach den Vorstellungen des Königs umgebaut wurde. Eisenkonstruktion, die außen mit farbig gepreßten Zinkplatten verkleidet ist.

11 Linderhof, Moorish Kiosk

An ornamental building not originally created for Linderhof which was altered to the King's ideas. Iron construction covered with coloured pressed-zinc plates.

11 Linderhof: kiosque mauresque

Cette construction d'agrément qui à l'origine n'était pas destinée à Linderhof fut transformée selon les idées du roi. C'est une construction en fer, recouverte à l'extérieur de plaques de zinc pressées en couleur.

12 Linderhof, Pfauenthron im Maurischen Kiosk

Blick in die kreisförmige Apsis mit dem für Ludwig II. angefertigten Pfauenthron. Die Schweifräder der emaillierten Pfauen sind mit böhmischen Glassteinen eingelegt.

12 Linderhof, Peacock Throne in the Moorish Kiosk

View into the circular apse with the peacock throne which was made for Ludwig II. The fantails of the enamelled peacocks are inlaid with Bohemian glass.

12 Linderhof: trône surmonté de paons dans le kiosque mauresque

Vue sur l'abside circulaire avec le trône à trois paons, fabriqué pour Louis II. Les plumes de ces paons émaillés faisant la roue sont ornées d'incrustations en cristal de Bohème.

tenden Dekorationsfülle von einem wahren horror vacui erfaßt. Bei den meisten Gemächern ist der Gesamteindruck deshalb so überwältigend und verwirrend zugleich, daß das Auge rasch ermüdet und das ›Formendickicht‹ kaum zu durchdringen vermag. Einzige Anhaltspunkte bleiben dann nur die Farben, denn in jedem Zimmer dominiert neben Weiß und Gold eine Grundfarbe, die in reich drapierten Vorhängen, Wandbespannungen und Möbelbezügen wiederkehrt. Die Malereien sind farblich entsprechend abgestimmt, ebenso die Teppiche, die den Fußboden völlig verdecken, und zusammen mit reichlich verwendetem Samt und Plüsch etwas von der Behaglichkeit bürgerlicher Wohnkultur vermitteln.

Bürgerlichen Wohnvorstellungen, die ganz auf die eigenen Gefühle und Bedürfnisse bezogen waren, entspricht auch die Abgeschlossenheit von der Außenwelt. Nicht nur schwere Draperien, die auch heute noch zu sehen sind, verhängten die Fenster, sondern auch zarte Spitzengardinen, durch die sich ein gedämpftes Licht verbreitete, in dem zu scharfe und starre Konturen ineinanderspielten und die manchmal harten Farbkontraste gemildert wurden. Der König aber bevorzugte die Nachtstunden, wenn die ohnehin schon irreale Atmosphäre im Schimmer der vielen Kerzenleuchter bis ins Märchenhafte gesteigert wurde.

Der Weg führt zunächst in das *Westliche Gobelinzimmer*, einen nahezu quadratischen Raum mit drei Türen und drei Fenstern, der auf Anordnung des Königs Gobelins mit Schäferszenen nach Boucher oder Watteau zu erhalten hatte. Vermutlich wurde aus Ersparnisgründen, vielleicht aber auch wegen der wesentlich kürzeren Anfertigungszeit auf echte Gobelins verzichtet, und man brachte stattdessen große Wandbilder in der Art von Wirkteppichen in vergoldeten Zierrahmen an. Mit ihrer unbekümmerten Buntheit bestimmen sie den Raumeindruck, zumal auch die Bezüge von Sofa, Stühlen und Hocker, die aus der Pariser Gobelin-Manufaktur stammen, galante Watteau-Szenen in vielen Farben vor rotem Grund schildern. Heinrich von Pechmann malte die Wandteppiche, der Historienmaler Wilhelm Hauschild über einer vergoldeten Stuckhohlkehle das Deckengemälde mit Apoll, Venus,Putten und Najaden als Allegorie des Abends. Puttengruppen in den Supraporten verkörpern ›Musik‹, ›Malerei‹ und ›Geschichte‹.

Zur Einrichtung gehört auch ein sogenanntes Pianinio Aeolodikon, eine Kombination von Klavier und Harmonium, weshalb der Raum auch als Musikzimmer bezeichnet wird, obwohl in Frage steht, ob das Instrument jemals gespielt wurde. Seine aufwendige Gestaltung, von Adolf Seder entworfen und Philipp Perron ausgeführt, spricht mit den reichvergoldeten Schnitzereien, Leuchtern, Putten und einem Gemälde nach Watteau für seinen rein dekorativen Wert. Dekorationsstücke sind auch die Marmorgruppe auf dem Kamin mit der Apotheose Ludwigs XIV. und ein lebensgroßer Pfau aus bemaltem Sèvres-Porzellan, für den Ludwig verlangte: »Derselbe darf kein Rad schlagen, sondern muß den Schweif gerade nach rückwärts strecken. Die Farbe des Halses soll schön lapislazuli-blau sein. Seine Majestät denken sich diesen Pfau auf einer Stellage von vergoldeter Bronze stehend, die aus Blumen gebildet wird, etwa 1 1/2 Fuß hoch.« Dieser Pfau, neben dem Schwan das Lieblingstier des Königs und Symbol königlicher Macht und Würde, ist in den hohen Spiegeln über dem Kamin und zwischen den Fenstern zwei-, ja dreimal zu sehen, nicht grotesk verzerrt wie in einem Rokokospiegel, sondern durch den modernen Planschliff so täuschend echt, daß Illusion und Wirklichkeit ineinander übergehen.

Ruhig wirkt das anschließende kleine hufeisenförmige *Kabinett*, das auf Gelb, Silber und Graublau gestimmt ist. Gelbe Seide mit Silberstickerei bespannt die geschnitzten Sitzmöbel und die vier Hauptpanneaux, die durch Lisenenspiegel mit bemalten Meißener Porzellanwandleuchtern voneinander getrennt werden. Schmale hohe Spiegel in reichgeschmückter Rahmung über Konsoltischchen flankieren auch die Ausgangstür mit dem kartuschenhaft eingefaßten Supraportengemälde vom Auszug der höfischen Gesellschaft auf die Venusinsel Cythera von Bernhard Fries. Die graublau getönte Decke wird von einer Hohlkehle mit versilberten Stukkaturen angestützt, die zwischen Kartuschen mit den vier Erdteilen und den vier Elementen die Tierkreiszeichen darstellen, und zwar in unmittelbarer Anlehnung an einen Salon in Schloß Rambouillet, das neben der Amalienburg Anregungen zur allgemeinen Ausgestaltung vermittelte. Ganz besonderen Wert legte Ludwig II. auf die vier ovalen Pastellbildnisse, die die Mitte der einzelnen Wandfelder einnehmen: »Bieten Sie alles auf, um ein Bild der Marquise de Créqui zu erhalten . . . ich brauche nothwendig ein Pastellbild von ihr für den Linderhof, ich lese gegenwärtig ihre sehr interessanten 7Bändigen Memoiren«, schrieb der König 1871 an Hofsekretär Düfflipp. Albert Gräfle malte die Marquise und ebenso die Portraits des Herzogs Moritz von Sachsen, des Herzogs von Belle-Isle und der Herzogin von Egmont-Pignatelli, Persönlichkeiten, die am Hofe Ludwigs XV. eine Rolle spielten und dem König vor allem durch Memoirenwerke und historische Romane bekannt waren. Dabei verband er mit ihrer Erscheinung so genaue Vorstellungen, daß der Künstler große Schwierigkeiten hatte, diesem meist idealisierten Bild zu entsprechen.

Der folgende elliptische Raum ist das auf den Plänen mit ›Chambre de Conseil‹ bezeichnete *Audienzzimmer*, das der Theatermaler Christian Jank in Anlehnung an Juste Aurèle Meissonier entwarf. Audienzen wurden freilich nie darin gehalten und deshalb ist wohl auch die vom König gebrauchte Benennung mit Arbeitszimmer richtiger, denn unter dem majestätischen hermelingefütterten Baldachin aus grünem Samt mit Goldstickerei steht vor einem Thronsessel ein prächtiger Schreibtisch, darauf zwei Kerzenleuchter und eine Uhr, geschmückt mit Putten, Blütenranken und Tauben. Wie in allen Räumen ist das Mobiliar, darunter ein Rundtischchen, das die Zarin Maria Alexandrowna Ludwig II. schenkte, an die Wände gerückt, die auch hier teils verspiegelt, teils vertäfelt sind. Die plastischen Schnitzereien der Vertäfelung stellen die den Staat konstituierenden Kräfte dar: ›Wissenschaft und Kunst‹, ›Handel und Gewerbe‹ und ›die Weltliche und Geistliche Herrschaft‹; die ›Vier Jahreszeiten‹ über den beiden Türen und Fenstern bedeuten ihren fortwährenden Bestand. Das bayerische Königswappen an der Rückwand des Baldachins und die ›Bavaria‹, der Namenszug des Königs und weitere bayerische Wappen in der Stuckverzierung lassen keinen Zweifel, auf welchen Staat sich Allegorien und Embleme beziehen; daneben wird jedoch auch wieder dem großen französischen Vorbild gehuldigt. Vier Darstellungen gewähren in den Lunetten des Muldengewölbes Einblick in das Leben in Versailles. Ferdinand Knab, Joseph Watter und Reinhard Sebastian Zimmermann malten das Schloß, ein Souper Ludwigs XV., den Empfang der türkischen Gesandtschaft in der Spiegelgalerie und die Hochzeit des Dauphin in der Schloßkapelle. Reiterstatuetten von Ludwig XIV.

und Ludwig XV., die Adolf Halbreiter nach den während der Revolution zerstörten Pariser Vorbildern schuf, schmücken die beiden Kamine.

An das mit grün-goldenen Textilien versehene Arbeitszimmer schließt sich in symmetrischer Entsprechung zum Gelben Kabinett wieder ein kleiner hufeisenförmiger Raum an: das *Lila Kabinett*. Auch hier wieder Lisenenspiegel zwischen seidenbespannten Panneaux mit vier ovalen Pastellbildnissen von Gestalten des französischen Hofes. Eines davon zeigt die vom König hochgeschätzte Madame Pompadour, und Düfflipp hatte dafür Sorge zu tragen, daß der Maler »das Kleid der Frl. Ziegler aus dem Stück Narziß als Muster bekommt und das es genau auf dem Bild so ausgeführt wird.«

Besonders dekorativ ist der geschnitzte Goldrahmen mit in Rocaillen eingestreuten Rosen, Tauben, Amors Köcher und Bogen, zu dem Franz Seitz den Entwurf zeichnete. In den vergoldeten Stukkaturen der Deckenhohlkehle erscheinen zwischen den königlichen Initialen Kartuschen mit Zeichen der Berufsstände und den Figuren von Jupiter, Apoll, Mars und Flora als Allegorien von ›Wissenschaft und Kunst‹ und ›Krieg und Frieden‹. Das Gemälde über der Eingangstür schildert die Versailler Hofgesellschaft im Garten.

Ein tiefer Durchgang führt in das *Schlafzimmer*, den größten und für den König wichtigsten Raum des Schlosses, in dem neben Gold und Weiß seine Lieblingsfarbe Blau den Eindruck bestimmt. Der ursprünglich wesentlich kleinere Raum, den 1871 der Theatermaler Angelo Quaglio entworfen hatte, mußte 1884, zwei Jahre vor dem tragischen Ende Ludwigs, umgestaltet werden, da er seinem mit den Jahren immer stärkeren Bedürfnis nach einer absolutistischen Repräsentationsbühne nicht mehr entsprach. Julius Hofmann, der inzwischen Nachfolger Dollmanns geworden war, übernahm die Planung und beauftragte den Maler und Architekten Eugen Drollinger mit den Entwürfen für die Ausstattung. Daß Drollinger sich dabei an Cuvilliés Schlafzimmer der ›Reichen Zimmer‹ der Münchner Residenz orientieren sollte, erklärt den hier in Abweichung von allen anderen Räumen dominierenden Régencestil.

Von den Einrichtungsgegenständen, die bis zum Tode des Königs nicht mehr alle fertiggestellt werden konnten, ist es vor allem das mächtige blaugoldene Prunkbett, das den Blick auf sich zieht. Das Emblem des Roi Soleil an seiner mit Amoretten verzierten Rückwand gemahnt an das höchst wichtige Zeremoniell des ›Lever‹ und ›Coucher‹ am Hofe Ludwigs XIV., das auch in zwei Supraportengemälden illustriert wird. Das bayerische Königswappen in dem gewaltigen Betthimmel aber verweist auf den eigentlichen Hausherrn, der sein Bett nach alter königlicher Tradition mit einer Balustrade umgeben ließ, die er selbst als eine »nie zu durchschreitende« und »unverletzliche« bezeichnet hat. Die Balustrade ist vergoldet wie die großzügigen Applikationen auf der blauen Wandbespannung der Bettnische, die auch durch ein von Bandelwerk gerahmtes Deckengemälde mit Apoll in seinem Sonnenwagen formal als Einheit behandelt ist. Die Decke des übrigen Raumes schmückte der Historienmaler August Spieß mit der Apotheose Ludwigs XV. In der Hohlkehle darunter erscheinen in Stuck die mythologischen Liebespaare ›Meleager und Atalante‹, ›Amor und Psyche‹ und ›Diana und Endymion‹, denn »alles was mit Liebe zu tun hat«, sollte traditionsgemäß im Schlafzimmer Platz finden. So auch die Marmorfiguren vor den großen Spiegeln der Konsoltische und Kamine: der ›Raub der Proserpina‹ und die ›Entführung der schönen Helena‹.

Ein prächtiger Deckenlüster aus Kristall mit über hundert Kerzen war dazu bestimmt, festlichen Glanz in dem Raum zu verbreiten, dessen Vollendung der König jedoch nicht mehr erlebte. 1886 waren die Arbeiten noch in vollem Gange, wurden dann unterbrochen und 1887 wiederaufgenommen, um das bereits Begonnene in vereinfachter Form zu vollenden und somit den Besuchern – die Schlösser wurden am 1. August 1886 zur allgemeinen Besichtigung freigegeben – »wenigstens eine Vorstellung von dem zu bieten«, »was seitens des Höchstseligen Königs geplant war.«

Mit dem ovalen Speisezimmer zwischen einem rosa und einem blauen Hufeisenkabinett schließt sich im Osten die gleiche Raumgruppe an wie das Arbeitszimmer mit dem Gelben und Lila Kabinett auf der Westseite.

Auch im *Rosa Kabinett*, das zwischen Schlafzimmer und Speisezimmer vermittelt, hängen an den seidenbespannten Panneaux vier Pastellbildnisse von Vertretern des französischen Hofes des 18. Jahrhunderts, in der Mitte die Dubarry, vom König ebenso verehrt wie die Pompadour. Die Deckenmalerei mit blumentragenden Amoretten und ein Gemälde der ›Drei Grazien‹ über der Tür zum Speisezimmer verbreiten zusammen mit den zierlichen weiß-goldenen Sitzmöbeln und der rosa Seide eine boudoirhafte Atmosphäre, wenngleich sich Damen nie darin aufgehalten haben.

Dagegen wirkt das *Speisezimmer* mit seinen schweren dunkelroten Textilien geradezu streng und feierlich. In seiner Mitte steht unter einem vielarmigen Meißener Porzellanlüster das berühmte ›Tischlein-deck-dich‹, das Ludwig nach französischen Vorbildern des Rokoko wahrscheinlich von Anton Pössenbacher anfertigen ließ. Da es durch einen Mechanismus versenkbar ist, konnte es im Erdgeschoß gedeckt werden, eine Einrichtung, die es dem König ermöglichte, seine Mahlzeiten ganz allein einzunehmen, ungestört von Dienerschaft. Dabei soll er sich manchmal mit imaginären Gästen unterhalten haben und ließ manchmal sogar zwei oder mehrere Gedecke auftragen, in der Illusion, mit der Pompadour, Dubarry oder anderen Damen und Herren der französischen Hofgesellschaft zu speisen, die in den Portraits der angrenzenden Kabinette gegenwärtig waren. Stumme Zeugen dieser galanten Soupers waren Venus und Bacchus, Flora, Amor und Psyche und Amor mit Venus, die amourös einander zugewandt die Decke bevölkerten. Eduard Schwoiser und August Heckel führten die Malerei nach barokkem Vorbild zum Teil plastisch aus, worüber sich der König allerdings heftig beschwert hat. Die Heiterkeit der Götterwelt steht in einem sonderbaren Kontrast zu den biblischen Begebenheiten der Supraportengemälde – ›Entthronung der Athalja‹ und ›Begnadigung der Esther‹ – doch war eine solche Zusammenstellung auch in der Kunst der französischen Könige durchaus üblich.

Ganz auf die Funktion des Raumes als Speisezimmer ist der Puttenfries der Hohlkehle als Versinnbildlichung des Landlebens bezogen, ebenso die Schnitzereien der Wandvertäfelung mit den Allegorien von ›Gärtnerei‹, ›Fischerei‹, ›Jagd‹ und ›Landwirtschaft‹. Besondere Aufmerksamkeit erregt ein reichgeschnitztes und prunkvoll vergoldetes Büffet, das nach den Erfordernissen der damaligen Wohnkultur unbedingt zur Einrichtung gehörte.

Boudoirhaft intim wirkt auch das folgende *Blaue Kabinett* mit verspielt gerahmten Bildnissen, musizierenden Amoretten an der Decke und einem Gemälde ›Leda mit dem Schwan‹ über der Eingangstür.

Über die Bestimmung der vier Kabinette ist nichts bekannt. Sie sind Vorzimmer und Verbindungsräume zugleich und wollen in Form und Farbe im optischen Gesamtzusammenhang gesehen werden. Den König mochte ihre poetische Stimmung zum Verweilen, Lesen, Nachdenken und Träumen angeregt haben.

Das Blaue Kabinett stellt die Verbindung zum *Östlichen Gobelinzimmer* her, ein Pendant zu dem Westlichen Gobelinzimmer, mit dem der Rundgang begann. Hier sind jedoch nicht Schäferidylle die Themen der gemalten ›Wirkteppiche‹ der Wände und der Gobelinbezüge der Möbel, sondern mythologische Darstellungen wie ›Diana und Endymion‹, ›Boreas raubt Oreithya‹, ›Triumph des Bacchus‹ und ›Europa auf dem Stier‹. Die Deckenmalerei von Wilhelm Hauschild versinnbildlicht mit Apollo und Aurora den ›Morgen‹, wie die Allegorie der Westseite den ›Abend‹; Puttengruppen über den Türen ergänzen mit ›Plastik‹, ›Architektur‹ und ›Astronomie‹ den Kanon der Schönen Künste und Wissenschaften. Zur Einrichtung gehört auch ein Gegenstück zu dem großen Porzellanpfau im Westlichen Gobelinzimmer; beide waren eigentlich für das Spiegelzimmer bestimmt.

Das *Spiegelzimmer* liegt zwischen den beiden Gobelinzimmern, und wenn das Schlafzimmer, das die nördliche Mitte einnimmt, als der wichtigste Raum des Schlosses gilt, so ist dieser der prunkvollste. Der König ließ sich zwei Entwürfe von dem Theatermaler Joseph de la Paix anfertigen und ordnete dazu an, daß »die Tapeten d.h. der blaue moirée antique mit schönen Rococoverzierungen eingefaßt werden« sollten, und zwar »annähernd in der Form jener im Münchener Spiegelzimmer«, das grundsätzlich als Vorbild gewünscht wurde. Der Grundriß sowie Anzahl und Art der Wandfelder sind daher dem Raum in der Münchner Residenz verpflichtet, doch wurden die Wandbespannungen alle durch Spiegel ersetzt und damit das für den deutschen Schloßbau so charakteristische Motiv des Spiegelkabinetts ins Phantastische gesteigert. Die rahmende Vertäfelung ist zu schmal, als daß die Raumgrenze noch irgendwo faßbar wäre, und eine endlose Flucht von Gemächern scheint sich nach allen Richtungen hin aufzutun, darin eine unvorstellbare Fülle vergoldeter Schnitzereien mit Putten, Leuchtern und zahllosen kleinen Konsolen für Ziergegenstände, lapislazuliverkleidete Kamine, Kristall- und Elfenbeinlüster, Möbel mit Rosenholzfurnier und Gold, Vasen, Marmorstatuetten. Darüber eine Hohlkehle mit Szenen aus dem Mythos von ›Amor und Psyche‹ und an der Decke das Gemälde ›Geburt der Venus‹. Es stammt von Eduard Schwoiser; Franz Widnmann malte das ›Urteil des Paris‹ an die Decke der kleinen, ebenfalls verspiegelten Sofanische, die, flankiert von den beiden Kaminen, die rückwärtige Mitte des Raumes einnimmt und von hellblauen Moiréevorhängen gerahmt wird. Wie in einer Theaterloge konnte der König dort, der Wirklichkeit völlig entrückt, den Zauber dieser faszinierenden Stimmung auf sich wirken lassen.

Das Glasmosaik des vor der Nische stehenden Tisches zeigt das von Genien gehaltene bayerische Wappen, doch über den Türen und den Porzellanplatten der beiden Spieltische verherrlichen Malereien wieder die Bourbonenkönige und in ihnen den französischen Absolutismus, der Ludwig II. als der Inbegriff eines wahren Königtums erschien.

Der Garten

Schloß Linderhof ist Mittelpunkt einer über 50 ha großen Gartenanlage, die als eine der konsequentesten und künstlerisch bedeutendsten des 19. Jahrhunderts gilt. Ihr Schöpfer ist Carl von Effner, Mitglied einer berühmten bayerischen Hofgärtner- und Architektenfamilie, der nach der Einrichtung des legendären Wintergartens auf dem Dach der Münchner Residenz 1868 vom König zum Hofgartendirektor befördert wurde und bis zu dessen Tod ausschließlich für Ludwig II. tätig war. Dieser verlieh ihm für seine Verdienste den persönlichen Adel.

Effners Aufgabe war es, den preziösen Rokokobau, der in der herben und rauhen Alpenwelt zwangsläufig einen Fremdkörper bilden mußte, durch gärtnerische Gestaltung des umgebenden Terrains harmonisch in das Landschaftsbild einzufügen. Dabei ging er von der modernen Theorie des ›architektonischen Landschaftsgartens‹ aus, die Jakob Falke wie folgt formuliert hat:

»Im Allgemeinen wird man an dem Satz festhalten müssen, daß, wo der Platz des Gartens von der Architektur beherrscht ist, die architektonische Anlage vorwaltet, wo die Landschaft überwältigend hereinragt, z. B. mit Wäldern oder waldigen Anhöhen, auch sie ihrerseits den Charakter bedingt. So weit der Einfluß des Wohngebäudes reicht, so weit verlangt er gradlinige Anordnung, Rasenflächen von regelmäßiger Gestalt, grade Hecken, gemauerte Bassins, Canäle, Fontainen, Terrassen, Balustraden, Stiegen, Werke der Sculptur, selbstverständlich alles in Einklang mit den gegebenen Größenverhältnissen der Architektur und des Raumes. Je größer die Entfernung von Schloß und Villa wird, je mehr hat man ein Recht, die regelmäßige Anlage in die unregelmäßige (immer aber kunstvolle!), die Bassins in Teiche und Seen, die Hecken in Gebüsch, die Bäume in Gruppen und Wald, die Rasen- und Blumenbeete in Wiesenflächen übergehen und alles Gemäuer und alle Sculptur nach und nach verschwinden zu lassen.«

Das in diesen Zeilen ausgesprochene Gestaltungsprinzip hat Effner in Linderhof in geradezu idealer Weise verwirklicht. Das Schloß steht mit seinem eigenen Achsenkreuz genau im Schnittpunkt von zwei streng stilisierten Hauptachsen. Die Ost-Westachse ist zu beiden Seiten des Schlosses im Stil französischer Parterres angelegt, die mit ihren regelmäßig geführten Wegen und beschnittenen Laubengängen auf die Architektur bezogene Freiräume bilden, mit Brunnen, Pavillons, Statuen und farbenprächtigen Blumenbeeten. Ein drittes, größeres Parterre liegt im Süden vor der Eingangsfront. Seine Mitte nimmt ein großes Bassin ein mit einer etwa 30 m hohen Fontäne, die aus einer vergoldeten Gruppe der Flora mit Putten in die Höhe schießt. Wegen der Hanglage mußten das Gelände vorher terrassiert und Treppen angelegt werden, die mit ihrer Großzügigkeit und den vielfältigen Bewegungszügen, den Balustraden und Statuen die Massigkeit der kubischen Schloßarchitektur abfangen, während ihre blumengeschmückten Vasen und Pflanzenkübel einen allmählichen Übergang zu Garten und Natur schaffen.

Dem Schloß gegenüber, am Abhang des ›Linderbichl‹, wird das Treppenmotiv in entgegengesetzter Richtung wieder aufgenommen. Eine hohe, symmetrische Flügeltreppe mit Brunnen und Statuennischen führt in der Art italienischer Villengärten der Renaissance über drei Terrassen zu einem kleinen Rundtempel mit einer Statue der Venus, der die ganze Anlage, umgeben von dunklen Tannen und Laubbäumen, als Point de vue bekrönt. Der König, der selbst die Anregung zu dem »Garten im Renaissance-Stil« gab, verband mit diesem Monopteros die Vorstellung eines ›Pavillon d'amour‹ wie er im Versailler Park steht; auch ließ er die Plastiken nach mythologischen und allegorischen Themen in Stein und Metall von Johann Hautmann und Michael Wagmüller nach Vorbildern in Versailles ausführen und Ludwig XIV. und Marie-Antoinette in Büsten ein Denkmal setzen.

Auch der Nordhang, der hinter dem Schloß den ›Hennenkopf‹ hinaufsteigt, geht mit seiner von Steinvasen begleiteten Kaskade von dreißig Marmorstufen auf die italienische Renaissance zurück. Auf der untersten Stufe sitzen zwei Amorettenpaare, darunter liegt, dem Schlafzimmer genau gegenüber, ein Bassin mit einer wasserspeienden Neptungruppe. Den oberen Abschluß bildet, analog zum Tempel des Südhanges, ein polygonaler Pavillon, an dessen Stelle eigentlich ein Theater geplant war, das jedoch wegen der allzu hohen Kosten nicht zur Ausführung kam.

Unregelmäßige Busch- und Baumgruppen überspielen die Grenzen von der geometrischen Gartenanlage zum eigentlichen Landschaftsgarten, der mit seinem malerischen Baumbestand und blumenbewachsenen Wiesen, einem kleinen See mit unregelmäßig verlaufendem Ufer und ländlichen und exotischen Staffagebauten eine ideale Natur schaffen will, die unmerklich schließlich in den freien Hochgebirgswald übergeht.

Entstanden ist der ›Landschaftsgarten‹ als letzter großer europäischer Gartenstil in der Romantik in England. Ein englischer Eindruck sollte jedoch zugunsten des spezifischen Charakters der Ammergauer Landschaft vermieden werden. Um so erstaunlicher ist es, in dieser alpenländischen Welt auf einem Spaziergang durch den Park plötzlich auf Palmen und einen *Maurischen Kiosk* zu stoßen, der nordöstlich vom Schloß an einem freien Berghang aufgestellt ist.

Von den geheimnisvollen Ländern des Orients ging damals eine ungeheuere Faszination aus. Türkische und maurische Rauch- und Herrenzimmer wurden in den Wohnungen der wohlhabenden Bürger eingerichtet und türkische Bäder und Gaststätten im orientalischen Stil ließen mit ihrer märchenhaft bunten Ausstattung für ein paar Stunden die realen, als prosaisch empfundenen Lebensverhältnisse vergessen. Ludwig verband mit dem Orient, den er nur aus Beschreibungen, Büchern und von Bildern kannte, die Vorstellung besonders großen Herrscherglanzes. Er ließ sich bereits 1867 von Christian Jank in seinem Wintergarten mit tropischen Gewächsen als Kulisse eine Ansicht des Himalaja malen. 1870 veranlaßte er den Bau einer großen Berghütte auf dem Schachen bei Garmisch, eine der alpenländischen Umgebung angepaßte Schale für einen mit verschwenderischer Pracht ausgestatteten türkischen Saal.

Der Maurische Kiosk in Linderhof wurde von dem Berliner Architekten Karl von Diebisch für den Eisenbahnkönig Strousberg gefertigt, der ihn im Park seines böhmischen Schlosses Zbirow aufstellen ließ und 1876 zum Verkauf anbot. Der kubische Bau mit vier minarettartigen Ecktürmchen und einer vergoldeten Mittelkuppel ist eine Eisenkonstruktion, die außen mit farbig gepreßten Zinkgußplatten verkleidet ist. Auf Wunsch des Königs wurden neue blau-rot-goldene Glasfenster eingesetzt, die Stalaktitendecke und der Fußboden erneuert, und die Nische gegenüber dem Eingang zu einer halbkreisförmigen Apsis erweitert, um Platz für einen Pfauenthron zu schaffen – einen mit rotgemustertem Seidenbrokat bezogenen Diwan mit drei räderschlagenden Pfauen aus schillerndem emaillierten Metallguß und bunten Glassteinen. Panoramaartig entfaltet sich vor dem Sitz in dieser Nische im mystischen Dämmerlicht der Glasfenster, Ampeln und Laternen das maurische Milieu mit einem Marmorspringbrunnen, Rauch- und Kaffeetischchen, Vasen mit Federwedeln, Rauchgefäßen und Goldbrokat. Vielleicht hat auch hier der König, wie auf dem Schachen, seine Identität vergessend in türkischer Tracht auf dem Thron gesessen, in eine Lektüre vertieft, »während der Troß seiner Dienerschaft als Moslems verkleidet, auf Teppichen und Kissen herumlagerte, Tabak rauchend und Mokka schlürfend, wie der königliche Herr befohlen hatte.«

Im Jahre 1878 wurde Dollmann, der inzwischen auch einen Arabischen Pavillon für Linderhof entworfen hatte, nach Paris auf die Weltausstellung geschickt, um ein weiteres orientalisches Haus für den König zu erwerben. Häuser aus Nordafrika, Ägypten, Persien und China wurden dort angeboten; Dollmann entschied sich für ein Marokkanisches Haus, das er für das schönste hielt. Passende Teppiche, Stoffe, Bronzen und Möbel kaufte er ebenfalls in Paris ein, damals der wichtigste Handelsplatz für orientalisches Kunstgewerbe, und das Haus, das nicht bürgerlichen, sondern fürstlichen Schmuck erhalten sollte, wurde noch im selben Jahr bei Linderhof aufgestellt, wo »S. M. dasselbe nur um einige Stunden ungestört darin zu lesen« benutzen wollte. Nach seinem Tod wurde es nach Oberammergau verkauft.

Neben dem Zeitalter der Bourbonen und dem Orient prägten germanische Mythologie und mittelalterliche Dichtung, verbunden mit dem Werk Richard Wagners, das Weltbild Ludwigs II.

Am Abhang des ›Hennenkopfes‹ liegt, hinter Nachbildungen von Felsen versteckt, der Eingang zu einer magisch erleuchteten künstlichen *Tropfsteinhöhle*, die aus einer zehn Meter hohen Hauptgrotte und zwei Nebengrotten besteht; der ›Landschaftsplastiker‹ August Dirigl hat das Ganze aus Pfeilern mit Gewölbegurten und Eisenverstrebungen konstruiert. Die Vortäuschung von Felsen und Tropfsteingebilden wird durch Leinwand und Zement mit flimmerndem Spießglanz erreicht.

Diese Höhle sollte wie ein dreidimensionales Bühnenbild das Innere des Hörselbergs wiedergeben, Schauplatz des 1. Aktes von Wagners ›Tannhäuser‹, den im Hintergrund ein prospektartiges Gemälde August Heckels mit der Venusszene schemenhaft illustriert. Mit dem geheimnisvollen, rot beleuchteten Felsenreich der Venus ist jedoch mit einem unterirdischen See und Wasserfall auch das Motiv der Blauen Grotte in Capri verbunden, Beispiel einer allgemeinen Grottenfreudigkeit der Zeit. Um sich das richtige Blau einzuprägen, mußte der Stallmeister Hornig zweimal nach Capri reisen, und der König überwachte selbst die Zubereitung der Farbe, ohne selbst je dort gewesen zu sein.

»Der königliche Grottenbesuch, der meist nachts stattfand, hatte etwas programmgemäßes«, schrieb Louise von Kobell. »Zuerst fütterte der Monarch zwei aus ihrem gewöhnlichen Domizil, dem Schloßbassin, herbeigeschaffte Schwäne, hernach bestieg er mit einem Lakai einen vergoldeten und versilberten Kahn in Form einer Muschel, und ließ sich auf dem durch einen unterseeischen Apparat bewegten Wasser herumrudern. Unterdessen hatten sich der Reihe nach die fünf farbigen Beleuchtungen abzulösen, jeder war zehn Minuten zugemessen, damit der König den Anblick genügend genießen könne. Phantastisch schimmerten Wellen, Felsenriffe, Schwäne, Rosen, das Muschelfahrzeug und der dahingleitende Märchenkönig.«

Die modernsten technischen Mittel wie eine Warmluftheizung und 25 der soeben von Werner von Siemens erfundenen Dynamomaschinen waren notwendig, um die Illusion in dieser weltfremden Traumwelt vollkommen zu machen. Doch der König, der nicht nur auf dem Wasser, sondern auch von einem glitzernden Loreleyfelsen oder einem Muschelthron die märchenhafte Stimmung in sich aufnahm, wollte nur die Wirkung sehen und begehrte nie, hinter die Kulissen zu schauen.

Neuschwanstein

»Wie im Traum ich ihn trug,
wie mein Wille ihn wies,
stark und schön steht er zur Schau,
hehrer, herrlicher Bau.«
(Richard Wagner, Rheingold)

Am 13. Mai 1868 schrieb König Ludwig II. an Richard Wagner: »Ich habe die Absicht, die alte Burgruine Hohenschwangau bei der Pöllatschlucht neu aufbauen zu lassen im echten Styl der alten deutschen Ritterburgen und muß Ihnen gestehen, daß ich mich sehr darauf freue, dort einst (in drei Jahren) zu hausen; mehrere Gastzimmer von wo man eine herrliche Aussicht genießt auf den hehren Säuling, die Gebirge Tyrols und weithin in die Ebene sollen wohnlich und anheimelnd dort eingerichtet werden; Sie kennen ihn, den angebeteten Gast, den ich dort beherbergen möchte; der Punkt ist einer der schönsten, die zu finden sind, heilig und unnahbar, ein würdiger Tempel für den göttlichen Freund, durch den einzig Heil und wahrer Segen der Welt erblühte. Auch Reminiscenzen aus Tannhäuser (Sängersaal mit Aussicht auf die Burg im Hintergrunde), und Lohengrin (Burghof, offener Gang, Weg zur Kapelle), werden Sie dort finden, in jeder Beziehung schöner und wohnlicher wird diese Burg werden als das untere Hohenschwangau, das jährlich von der Prosa meiner Mutter entweiht wird; Sie werden sich rächen die entweihten Götter und oben weilen bei Uns auf steiler Höh', umweht von Himmelsluft.«

Ein Jahr vorher, Ende Mai 1867, hatte der König gemeinsam mit seinem Bruder Otto die Wartburg bei Eisenach besucht. Die Neuinszenierung des Tannhäuser in München stand bevor, und Ludwig, der den ersten Besuch des Tannhäuser am 22. Dezember 1861 alljährlich wie einen Festtag beging, hatte sehnlichst gewünscht, den Schauplatz dieser Oper, die Wartburg und ihre Umgebung, kennenzulernen. In diesem Wunsch äußerte sich das grundsätzliche Bedürfnis, an die sagenhaften oder authentischen Schauplätze der von ihm bevorzugten Bühnenstücke zu reisen, um sich an historischer oder vermeintlich historischer Stätte das Geschehen zu vergegenwärtigen.

13 Schloß Neuschwanstein

Von Osten gesehen. Im Hintergrund der Alpsee.

13 Neuschwanstein Castle

Seen from the east. In the background the Alpsee.

13 Château de Neuschwanstein

Vu de l'est. A l'arrière-plan, L'Alpsee (lac).

14 Neuschwanstein, Oberer Schloßhof

Rechts der Verbindungsgang mit dem Ritterhaus, in der Mitte der Palas und links die Kemenate.

14 Neuschwanstein, the Upper Courtyard

To the right the corridor with the Knight's House, in the middle the Palas (Great House) and to the left the Kemenate (Ladies' Bower)

14 Neuschwanstein: cour supérieure

A droite, le passage avec les appartements des chevaliers, au milieu le palais et à gauche le chauffoir.

Die Wartburg, deren Wiederherstellung als Denkmal und Erinnerungsmal im selben Jahr abgeschlossen worden war, vermittelte trotz Neu- und Umgestaltung das Bild einer wohlerhaltenen Veste aus der durch Sagen und Legenden verklärten Glanzzeit des thüringischen Hofes, wo Landgraf Herrmann einst zu dem berühmten Sängerwettstreit aufgerufen haben soll, den der 2. Akt der Wagnerschen Oper zum Thema hat. »Auf die Nachricht von dem überraschenden fürstlichen Besuch eilte der Burghauptmann herbei, um dem hohen Gast die Ehre zu erweisen. Ludwig II. bat ihn, es möge ihm vergönnt sein, ganz allein und durch Verschluß der Türen vor jeder Störung gesichert, in den geweihten Räumen zu verweilen. So brachte er längere Zeit im Sängersaal und den anstoßenden Gemächern völlig sich selbst überlassen zu. Am nächsten Morgen bestiegen die Gäste den Hörselberg und besichtigten die in Wagners Tannhäuser als Wohnsitz der Venus verherrlichte Grotte.«

Doch hatte Ludwig, gepackt von der allgemeinen spätromantischen Begeisterung für Burgen, nicht nur die Wartburg besucht, sondern 1864 bereits eine Rheinreise unternommen und drei Jahre später, als er nach Paris zur Weltausstellung fuhr, bei Compiègne die überaus malerische achttürmige Festung Pierrefonds besichtigt, die gerade von Viollet-le-Duc restauriert wurde.

Auch die »Neue Burg Hohenschwangau«, die erst nach dem Tod des Königs den Namen Neuschwanstein erhielt, war zunächst, wie aus dem eingangs zitierten Schreiben an Wagner hervorgeht, als Wiederaufbau gedacht, wobei sich Ludwig bereits auf eine familiäre Tradition berufen konnte.

1832 hatte sein Vater, Maximilian II., begeistert von ihrer landschaftlichen Lage über den Ufern des Alpsees, die alte Burgruine Schwanstein, Stammsitz der Herren von Schwangau, erworben, um ihr »ihre ursprüngliche mittelalterliche Gestalt« wiederzugeben und sie dabei für sich selbst bewohnbar zu machen. Hohenschwangau wurde in der Folgezeit zum bevorzugten Aufenthaltsort der königlichen Familie und für Ludwig somit zu einem von Kindheit an vertrauten und geliebten Platz, den er in einem Brief an Cosima von Bülow als »Paradies der Erde« bezeichnete, das er mit seinen Idealen bevölkerte und dadurch glücklich wäre. Geformt haben diese Ideale zum Teil die in der Kindheit erfahrenen Eindrücke von Hohenschwangau selbst, das märchenhaft anmutende mittelalterliche Ambiente des Schlosses, in dem die mit dem Ort verbundene Geschichte mit ihren Sagen in zahlreichen Wandgemälden lebendig werden.

Die im Schwanenritter-Saal dargestellte Lohengrin-Sage hatte Ludwig ganz besonders in ihren Bann gezogen. In romantischer Ideenverknüpfung wurde für ihn der Schwanenritter mit den Herren von Schwangau, die dasselbe Wappentier führten, identisch; im November 1865 ließ er die Ankunft Lohengrins in Antwerpen ganz naturgetreu auf dem Alpsee vor der Kulisse des Schlosses inszenieren, wozu die betreffenden Piècen aus dem 1. Akt der Oper Richard Wagners erklangen, die er als Fünfzehnjähriger kennengelernt hatte und die ihm die eindringlichste Begegnung mit dem Lohengrin-Mythos vermittelte. ». . . der Lohengrin war es, der den ersten Keim der Begeisterung und glühenden Liebe zu Ihnen in mein Herz legte«, gestand der junge König – der sich später selbst gelegentlich als Lohengrin zu verkleiden liebte – dem Komponisten in einem Billett, als dieser sich zu einem Besuch in Hohenschwangau aufhielt.

Und wie Ludwig den Tag seiner ersten Tannhäuser-Aufführung zum persönlichen Feiertag erhob, so auch den Tag, an dem er zum ersten Mal den Lohengrin erlebte. Am Vorabend der Neuinszenierung beider Opern in München, die er voll Ungeduld herbeisehnte, entstand in seiner Phantasie sein neuer Wohnsitz dem vertrauten Hohenschwangau gegenüber als die Burg Tannhäusers und Lohengrins, die zugleich eine Weihestätte für Richard Wagner und dessen Kunst werden sollte. Der Komponist hat sie dann jedoch nie betreten.

Mit der *Planung* von Neuschwanstein wurden der Hofbaudirektor Eduard Riedel und der Theatermaler Christian Jank beauftragt. Der Friedrich Gärtner-Schüler Riedel, der aus einer alten Bayreuther Architektenfamilie stammte, war bereits für Ludwig I. und Max II. tätig und beherrschte, ganz im Geiste des Historismus, den romanischen und gotischen Stil ebensogut wie den hellenistischen, maurischen oder den der italienischen Renaissance. Christian Jank begann als Schüler Emil Kirchners mit der Architektur- und Landschaftsmalerei, widmete sich aber ganz der Anfertigung von Dekorationen, als er 1864 an dem neu errichteten Volkstheater am Gärtnerplatz ange-

15 Neuschwanstein, Adjutantenzimmer

Wie auch das folgende Arbeitszimmer ist der Raum durch zwei Säulenstellungen unterteilt. Die Ausstattung ist im Verhältnis zu den Wohnräumen des Königs sehr einfach.

15 Neuschwanstein, Adjutant's Room

The room is sub-divided by two arches as is the Writing Room which follows. The furnishing is very simple in comparison to the King's Chambers.

15 Neuschwanstein: chambre de l'Officier d'ordonnance

Comme le cabinet de travail adjacent, la pièce est partagée par des arcades. Comparée à celle des pièces royales, la décoration est très simple.

16 Neuschwanstein, Arbeitszimmer

An den Wänden Darstellungen aus der Tannhäuser-Sage von Joseph Aigner. Links über dem Ofen der ›Sängerwettstreit auf der Wartburg‹, rechts ›Tannhäuser spielt zum Tanz auf‹.

16 Neuschwanstein, Writing Room

On the walls scenes from the Tannhäuser saga by Joseph Aigner. To the left above the stove the "Singers' Contest at the Wartburg", to the right "Tannhäuser plays for the dancing".

16 Neuschwanstein: cabinet de travail

Peintures murales de Joseph Aigner ayant pour thème la légende de Tannhäuser. A gauche au-dessus du poêle, «Tournoi des minnesaenger à la Wartburg», et à droite, «Tannhäuser jouant un air de danse».

stellt wurde. Ab 1868 stand er am Königlichen Hoftheater unter Vertrag, wo er sich besonders bei den Richard Wagner-Inszenierungen einen Namen machen konnte. Riedel, der für Ludwig II. schon den Umbau von Schloß Berg und die Ausgestaltung der Wohnung in der Münchner Residenz durchgeführt hatte, und Jank, der für den exotischen Wintergarten des Königs den Himalaja-Prospekt malte, wurden beide zunächst zur Wartburg geschickt, um sich dort inspirieren zu lassen und zeichnerische Vorlagen anzufertigen. Diese mußten zusammen mit anderem Anschauungsmaterial, unter anderem von der Kaiserburg in Nürnberg und der Trausnitz bei Landshut, mit dessen Beschaffung genau wie bei der Planung von Schloß Linderhof ein ganzer Stab von Künstlern und Photographen beschäftigt war, Ludwig zur Auswertung vorgelegt werden. Daneben studierte er noch Mappen mit Burgen, die sein Vater hatte anfertigen lassen und vertiefte sich in Geschichte, Dichtung und Sagen des Mittelalters genauso wie in die historischen und dichterischen Quellen zu den Bourbonen.

Seine Vorstellungen von der neuen Burg ließ er durch Hofsekretär Düfflipp am 26. April 1868 schriftlich genau festhalten und zur Finanzierung vorlegen. Auf »Allerhöchsten Wunsch« sollte über den alten Fundamenten von Bergfried und Palas die Burgruine Vorderhohenschwangau »im altdeutschen Style«, »nicht symmetrisch, sondern durch Mannigfaltigkeit pittoresk« wiederaufgebaut werden und ein Verbindungsgang zwischen den beiden Baukörpern hinzukommen. Zu diesem relativ bescheidenen Projekt lieferte Riedel mehrere Grundrisse, die zur Basis aller weiteren Entwürfe wurden. Jank setzte die architektonischen Vorlagen mit einem ausgeprägten Sinn für das schmückende Detail in bühnenbildartige Ansichten um, die mit ihrer wildzerklüfteten Berglandschaft noch ganz in der Tradition der Romantik stehen. Während des Sommers 1868 wurde das Projekt jedoch bereits durch einen Hof erweitert und gegen Ende des Jahres der Plan zu einem gewaltigen Neubau mit Torbau, Kemenate, Ritterhaus, Palas und Bergfried vorgelegt, der nach dem ausdrücklichen Wunsch des Königs nicht mehr im spätgotischen, sondern romanischen Stil entworfen war, »so wie die Alten ihre Burgen gebaut hätten«.

Mit den »Alten« verband Ludwig die Zeit der Staufer als die machtvollste und glänzendste Epoche des Mittelalters und mit den Staufern ihre großen Pfalzanlagen und natürlich das Bild der Wartburg, die stärkste Anregung und Vorbild zugleich blieb, ohne jedoch kopiert zu werden. Für die Romanik, die in Deutschland etwa seit der Jahrhundertmitte wiederaufgenommen wurde, war auch die Bezeichnung »Byzantinischer Rundbogenstil« geläufig, die für den König außerdem den Herrscherglanz eines sagenhaft mächtigen und mysteriösen Reiches heraufbeschworen haben mochte. Auf ihn, der kurz vorher erst den Entwurf zu einem byzantinischen Schloß in Linderhof ausarbeiten ließ, übte Byzanz mit zunehmendem Alter auch im Zusammenhang mit dem Parsifal-Stoff immer größere Anziehungskraft aus.

Die Ruine Vorderhohenschwangau wurde noch 1868 abgetragen, das Terrain durch umfangreiche Sprengungen vergrößert und geebnet und eine Fahrstraße nebst Wasserleitung angelegt. Im Februar des folgenden Jahres begannen einige Monate vor der offiziellen Grundsteinlegung, die am 5. September stattfand, die Bauarbeiten unter der Leitung Riedels mit dem Torgebäude, dessen Vollendung sich trotz ständigen Drängens des Königs bis 1873 hinzog. Ludwig wartete ungeduldig darauf, seine Aufenthalte in Hohenschwangau ungestört von der ihm völlig verständnislos gegenüberstehenden Mutter, die sich nur allzuhäufig im Familienschloß aufhielt, verbringen zu können. Als Übergangslösung plante er deshalb, vorläufig im Torbau Wohnung zu nehmen und von dort, wie im Königshäuschen in Linderhof, den Werdegang seiner aus den Felsen aufwachsenden Burg aus unmittelbarer Nähe zu beobachten und zu überwachen.

Der mit glatt behandeltem Kalk- und Sandstein verkleidete zweistöckige Torbau wird von zwei Rundtürmen flankiert und in seiner Mitte mit der tonnengewölbten Einfahrtshalle von einem Obergeschoß mit zinnenbesetztem Giebel überhöht, das die Königswohnung beherbergt. Während sich die hell-dunkel abgesetzte Front der Straßenseite mit ihren kleinen Fensteröffnungen, Zinnen und Ecktürmen eher durch einen wehrhaften Charakter auszeichnet, wird die Fassade auf der Hofseite über einem einfachen sockelartigen Stockwerk durch weite, doppelte Rundbogenfenster, Lisenengliederung und Rundbogenfriese aufgelockert. Der Mitteltrakt erhält durch einen überdachten Balkon mit Säulenarkaden vor dem Wohnzimmer Seiner Majestät plasti-

17 Neuschwanstein, Grotte

Im Zusammenhang mit dem Tannhäuser-Zyklus der Wandgemälde des vorhergehenden Arbeitszimmers als Venusgrotte zu deuten.

17 Neuschwanstein, Grotto

In combination with the Tannhäuser cycle of murals in the previous Writing Room this can be interpreted as the Venusgrotto.

17 Neuschwanstein: grotte

Se référant au cycle de Tannhäuser, thème des peintures murales du cabinet de travail précédent, on doit la prendre pour la grotte de Vénus.

ARTHVS. ENGLAND.

18 Neuschwanstein, Wohnzimmer

Über dem Sofa ein Gemälde aus Wilhelm Hauschilds Lohengrin-Zyklus, ›Lohengrins Erwählung durch den heiligen Gral‹. Links der sogenannte Wartburgschrank.

18 Neuschwanstein, Living Room

Above the sofa a painting from Wilhelm Hauschild's Lohengrin cycle, "Lohengrin is elected by the Holy Grail". To the left the so-called Wartburg bookcase.

18 Neuschwanstein: grand salon

Au-dessus du sofa, une peinture de Wilhelm Hauschild «Election de Lohengrin par le Saint-Graal», inspirée du cycle de Lohengrin. A gauche, l'armoire dite de la Wartburg.

sche Gestalt. Der Balkon bietet auch den besten Überblick über den unteren und oberen Hof, der durch eine seitliche Freitreppe zu erreichen ist und an dessen westlichem Ende 1873 der Aufbau des Palas in Angriff genommen wurde.

Schon ab Januar 1872 lag die Bauleitung in den Händen Georg Dollmanns, der für den König gleichzeitig Schloß Linderhof baute, ab 1878 auch Schloß Herrenchiemsee. Dollmann wurde das Planmaterial Riedels zur Weiterführung übergeben, doch hat er sich im wesentlichen an dessen Konzeption gehalten und lediglich, zumeist auf Anweisung des Königs, einige Details geändert, wie beispielsweise Erker, Ecktürmchen oder Abschlußformen der Türen. Seine Korrekturen zielen auf eine Vereinfachung der Baustrukturen, da Ludwig im Laufe der Jahre die Burg »immer strenger, immer ›romanischer‹, immer hoheitsvoller und immer mehr ans Sakrale gemahnend ausgeführt wissen wollte.«

Die Bauarbeiten schritten vor allem wegen ständiger Finanzierungsschwierigkeiten – der König betrieb ja mehrere Projekte gleichzeitig – nur zögernd voran. Erst 1880 war der Rohbau des Palas abgeschlossen, der den oberen Hof mit seiner schmalen sechsgeschossigen Fassade überragt; mit ihrem hohen spitzen Giebel erinnert sie an städtische Wohnhäuser des Spätmittelalters und der Renaissance. Eine Treppe führt zu dem seitlich gelegenen Portal des ersten Stockwerks, das wie das Untergeschoß mit einfachen Rundbogenfenstern versehen ist. Darüber folgen zu Zweier- und Dreiergruppen zusammengefaßte Arkadenfenster und ein großer Balkon zwischen polygonalen Ecktürmchen, die mit ihren spitzen Helmen über den Dachansatz emporragen. Zwei Fresken auf den seitlichen Wandfeldern zeigen die ›Patrona Bavariae‹, unter deren Schutz der Burgenbau befohlen wurde, und den Ritterheiligen St. Georg. Der bayerische Löwe, in Kupfer getrieben, bekrönt den Giebel.

Auf der rechten Seite des steilen Satteldachs schaut ein hoher Treppenturm mit Zinnenkranz hervor, der die nördliche Langseite an einer Stelle gliedert, wo der Palas, bedingt durch die Unebenheiten des Geländes, in einem stumpfen Winkel nach Süden abknickt. Ein kleiner Turm mit Wendeltreppe markiert die gleiche Nahtstelle auf der Südseite. Die schmale Rückfront erhält durch einen zweistöckigen Söller mit Rundbogenarkaden, der von kräftigen Konsolen abgestützt wird, einen weithin sichtbaren Akzent.

Im Jahre 1880 standen von der ganzen Burganlage nicht mehr als Torbau und Palas, die durch einen galerieartigen Gang mit doppelten Rundbogenfenstern über einem einfachen durchfensterten Sockelgeschoß mit Strebepfeilern miteinander verbunden werden sollten. Im Katastrophenjahr 1886 war er im Rohbau vollendet und auch das Ritterhaus weitgehend fertiggestellt, das im oberen Hof in den Verbindungsgang hineingestellt wurde und sich als eigener Baukörper nur durch einen gestuften Aufbau mit erhöhtem Mittelgiebel behauptet. Der Niveauunterschied zwischen den beiden Höfen ließ sich durch einen quadratischen Treppenturm ausgleichen, der mit seiner zylinderförmigen Bekrönung über einem ausladenden Umgang hoch emporragt.

In der Zwischenzeit war Dollmann, obwohl zum Hofoberbaurat avanciert, von Julius Hofmann abgelöst worden, der seit 1884 sämtliche königliche Bauvorhaben leitete und schon seit 1880 für die Innenausstattung von Neuschwanstein tätig war. Ihm wurde auch die Aufgabe übertragen, das Projekt nach dem Tode des Königs zu einem einigermaßen befriedigenden Ende zu führen, um den Besuchern das Bild einer geschlossenen Anlage zu vermitteln.

Nach den ursprünglichen Plänen entstand bis 1892 als Pendant zum Ritterhaus auf der Südseite des oberen Hofes die Kemenate, ein symmetrischer dreistöckiger Bau mit Mittelrisalit, der durch ein Portal im Erdgeschoß und einen darüberliegenden überdachten Balkon betont wird. Sie erhielt keinen Turm, wie vorgesehen, und auch auf die noch 1885 entworfene Ausschmückung der Fassade mit ornamentaler Plastik und Statuen von weiblichen Heiligen wurde aus Ersparnisgründen verzichtet. Ebenfalls nicht zur Ausführung kam der bereits fundamentierte Bergfried mit der darin projektierten Kapelle, zu der zahlreiche Entwürfe vorlagen und deren polygonale Apsisfundamente die Stützmauer zwischen den beiden Höfen bildet. Um sein Fehlen optisch auszugleichen, wurde der nördliche Viereckturm erhöht, doch vermag diese Maßnahme über eine etwas eigenartige Leere nicht hinwegzutäuschen.

19 Neuschwanstein, Ankleidezimmer

Über dem Toilettentisch Eduard Illes Gemälde aus dem Zyklus zu Walther von der Vogelweide ›Walther singt am Hof des Herzogs Welf sein Lied zum Lob deutscher Sitte‹. Über dem Fenster ›Walther fordert zum Kreuzzug auf‹.

19 Neuschwanstein, Dressing Room

Over the washstand Eduard Ille's mural from the cycle Walther von der Vogelweide "Walther singing at the court of Duke Guelph his song in praise of German tradition". Over the window "Walther summons to the crusade".

19 Neuschwanstein: cabinet de toilette

Au-dessus de la table de toilette, peinture due à Eduard Ille et inspirée du cycle de Walther von der Vogelweide «Walther à la cour du duc Welf chante l'éloge des coutumes allemandes». Au-dessus de la fenêtre, «Walther exhorte à la croisade».

20 *Neuschwanstein, Schlafzimmer*

Das reichgeschnitzte Bett mit dem Baldachin aus Fialen stammt aus der Münchner Werkstatt Pössenbacher. Links oben die Allegorie der Minne aus dem Zyklus der Wandgemälde zu ›Tristan und Isolde‹.

20 *Neuschwanstein, Bedchamber*

The richly-carved bed with the baldachin of pinnacles came from the Munich workshop of Pössenbacher. Above left the allegory of the Minne from the cycle of murals "Tristan and Isolde".

20 *Neuschwanstein: chambre à coucher*

Le lit richement sculpté au baldaquin orné de pinacles provient de l'atelier munichois Pössenbacher. En haut et à gauche, allégorie de l'Amour, un des thèmes des peintures murales consacrées à la légende de Tristan et Yseult.

Die *Innenausstattung* im Palas konnte bis zum Tode Ludwigs im dritten und vierten Stock mit der Königswohnung, dem Thronsaal und Sängersaal als wichtigste Räume weitgehend vollendet werden. Die für das zweite Obergeschoß geplanten Fremdenzimmer, die ja keine Funktion mehr zu erfüllen hatten, sowie ein Bad und ein Maurischer Saal sind im Rohbau verblieben. Von den Dienerschaftszimmern im ersten Obergeschoß mußten notwendigerweise einige fertiggestellt werden wie auch die Küche im Parterre, die unter einem mittelalterlichen Kreuzgratgewölbe alle modernen technischen Errungenschaften einer großen Hotelküche der damaligen Zeit aufweist. 1888 wurden die noch kahlen Gänge und die Eingangshalle im ersten Stock mit einem einfachen Ornamentschmuck versehen.

Die gesamte ›romanische‹ Innendekoration ist das Werk Julius Hofmanns, der als junger Mann mit seinem Vater für Erzherzog Maximilian in Schloß Miramare bei Triest gearbeitet hatte und 1864 den Auftrag erhielt, für den zukünftigen Kaiser das Rathaus von Mexico in eine Residenz zu verwandeln. Für Neuschwanstein zeichnete er seit 1880 unter Verwertung älterer Entwürfe, unter anderem von Georg Dehn, Christian Jank, Heinrich von Pechmann und dem Kölner Michael Welter, auf den Möbel und Öfen des Torbaus zurückgehen, mit geradezu virtuoser Kunstfertigkeit Wandaufrisse, Möbel und Einrichtungsgegenstände, in denen wie ein Leitmotiv immer wieder der Schwan erscheint. Dabei mußten natürlich wieder ganz persönliche Wünsche des Königs berücksichtigt werden, der jedes Detail prüfte und häufig Korrekturen vornahm, ehe er die Ausführung genehmigte.

Mit ganz besonderem Eifer widmete Ludwig sich der Planung der Wandmalereien und betraute schon 1868 den Münchner Kunst- und Literarhistoriker Hyazinth Holland, der als ein sehr guter Kenner des Mittelalters galt, mit der Ausarbeitung eines entsprechenden Programms. Nach einer obligaten Besichtigung der Wartburg und ihrer Wandgemälde stellte Holland in der Folgezeit auf der Grundlage seiner eigenen kulturhistorischen Schriften mehrere ikonologische Projekte für die gesamte Burganlage zusammen: alle Schätze der alten Dichtungen, Sagen und Legenden, derer sich die Romantik wieder erinnert hatte, wurden in chronologischer Abfolge und hierarchischer Rangordnung zur »Ausschmückung der Gemächer« vorgeschlagen. Für seine eigenen Räume im Palas wählte Ludwig dessen ungeachtet fast nur Themen aus dem Umkreis der Wagner-Opern, die jedoch »nach der Sage und nicht nach der Wagnerschen Angabe« dargestellt werden sollten, um der historischen Wahrheit am nächsten zu kommen und damit das ersehnte Lebensgefühl längst vergangener glorreicher Zeiten zu vermitteln. Für die Ausführung verlangte er keine eigenwilligen Künstlerpersönlichkeiten, sondern »tüchtige und fleißige Maler«, die wie er selbst »die mittelalterliche Poesie« und »die Requisiten der Alten« genau studierten und seine eigene geistige Konzeption widerspruchslos als obersten Grundsatz anerkannten.

Eduard Ille und August Spieß hatte er bereits durch ihre für Schloß Berg bestimmten Aquarellzyklen zu den historischen Quellen von Wagners Opern schätzen gelernt. Hinzu kamen Joseph Aigner, Ferdinand von Piloty und Wilhelm Hauschild, der gemeinsam mit Spieß auch bereits in Schloß Linderhof tätig war. Mit Ausnahme des Schwind-Schülers Ille, hatten sie alle in den fünfziger Jahren an der Münchner Akademie vor allem unter Philipp von Foltz Historienmalerei der idealisch romantischen Richtung studiert und bezeichneten sich in aller Bescheidenheit selbst gerne als Handwerker, weit davon entfernt, am damaligen Geniekult der exklusiven Künstler-Bohème teilhaben zu wollen. Ständige Kritik und die Änderungswünsche des Königs wirkten sich nachteilig auf die Qualität der Bilder aus, die in den Entwurfszeichnungen oft den Reiz naiver Spontaneität besitzen. Aber mehr noch wurden die Arbeiten durch die rücksichtslos festgesetzten Termine beeinträchtigt, deren Einhaltung nur durch verzweifelte Tag- und Nachtarbeit und die Einstellung von Gehilfen möglich war. Wie gefordert, fand Ludwig am ersten Weihnachtsfeiertag 1881 die Gemälde seiner Wohnung vollendet vor und schrieb darüber seinem Freund Richard Wagner: »Von den Wänden meiner Wohngemächer leuchten in recht gelungener Ausführung Bilder jener mir durch Ihre Verherrlichung . . . so an's Herz gewachsenen Sagen herab: ›Tannhäuser‹, ›Lohengrin‹, ein Cyclus aus ›Tristan und Isolde‹, Walther von der Vogelweide, Scenen aus Hans Sachsens Leben sind dort zu schauen, Bilder aus der alten, durch Sie neu verklärten Nibelungensage werden folgen.«

21 Neuschwanstein, Speisezimmer

Auf dem Speisetisch ein Tafelaufsatz ›Siegfried im Kampf mit dem Drachen‹. An der Wand ein Gemälde von Ferdinand von Piloty aus dem Zyklus zum Leben der Minnesänger auf der Wartburg ›Der Landgraf gibt Heinrich von Veldeke dessen wiedergefundene Dichtung Äneide zurück‹.

21 Neuschwanstein, Dining Room

On the dining-table a centrepiece "Siegfried fighting with the dragon". On the wall a painting from Ferdinand von Piloty's cycle The Life of the Minnesingers at the Wartburg: "The Landgrave returns to Heinrich von Veldeke the poem Aenead which had been lost".

21 Neuschwanstein: salle à manger

Sur la table, surtout représentant «Siegfried en train de lutter contre le dragon». Au mur, «Le landgrave rend à Heinrich von Veldeke son poème retrouvé, l'Enéide», peinture de Ferdinand von Piloty qui fait partie du cycle: la vie des minnesaenger à la Wartburg.

22 Neuschwanstein, Sängersaal

Blick durch den Saal auf die Eingangsseite hin mit der ›Laube‹. Angeregt durch Wagners ›Tannhäuser‹ und den Saal auf der Wartburg, gehörte der Sängersaal von Anfang an zu den Projekten für Neuschwanstein.

22 Neuschwanstein, Singers' Hall

View through the hall to the entrance with the "Bower". Inspired by Wagner's "Tannhäuser" and the hall in the Wartburg, the Singers' Hall belonged from the very beginning to the projects for Neuschwanstein.

22 Neuschwanstein: salle des chanteurs

Vue à travers la salle sur le côté de l'entrée avec la loggia ou portique. Inspirée de «Tannhäuser» de Richard Wagner et par la salle des chanteurs de la Wartburg, cette salle était un des premiers projets conçus pour Neuschwanstein.

In der ›*Königswohnung*‹ im Osttrakt des dritten Obergeschosses sind die Räume in zwei nebeneinanderliegenden Reihen mit streng parallel gesetzten Trennwänden nach dem Prinzip der Enfilade angeordnet, die durch einige Abweichungen von der einfachen Rechteckform, Erker, Säulen und Nischen, ins mittelalterlich ›Pittoreske‹ umgedeutet wird.

Abgeschirmt hinter einem Riegel schmaler Vorzimmer erinnert dieser Privatbereich in seiner Abgeschlossenheit an großzügige Wohnungen gleichzeitiger Mietshäuser, in die sich der wohlsituierte Bürger in bewußter Trennung von öffentlichem Leben und Arbeitswelt zurückzog und die er nach persönlichem Sinn und Geschmack einzurichten verlangte, ein Bedürfnis, das Jakob von Falke 1868 so beschrieb:

»... wenn wir bedenken, welche Bedeutung Haus und Wohnung für unser Leben haben, wenn wir bedenken, wie sehr ihre Schönheit unsere Lebensfreude zu erhöhen vermag, ja daß schon die Mitwirkung an der Herstellung dieser Schönheit uns zum Vergnügen werden kann, weil sie, obgleich nur in Wahl und Urteil bestehend, dennoch ein künstlerisches, von künstlerischer Freudigkeit begleitetes Schaffen ist. Sollten wir darum nicht umsomehr diesen Mikrokosmos unserer Wohnung zu schmücken trachten, als er ja gewöhnlich die einzige kleine Welt ist, in der wir Herr und Gebieter sind, ... Sollten wir es nicht der Mühe wert erachten, ihn gerade so zu schmücken und so einzurichten und auszustatten, daß er ganz und gar mit unseren eigenen Gefühlen und Bedürfnissen harmoniert, daß er, gleichsam ein weiteres Kleid, mit seinem ästhetischen Charakter so genau zu unserem eigenen Geiste und Wesen paßt, wie das Kleid zu unserem Körper?«

Es wurden bisher in der reichhaltigen Literatur über Ludwig II. nur wenige Versuche unternommen, den König mit bürgerlichen Maßstäben zu messen. Doch treffender als in den gerade zitierten Zeilen könnte auch sein Anliegen zur Gestaltung der unmittelbaren Umwelt nicht charakterisiert werden, wenn dieses auch zu einer wahren Leidenschaft geriet und durch die hervorragende Stellung als Monarch und das damit verbundene Bewußtsein eine ganz spezifische und in manchem auch einmalige Prägung fand.

Sein ausdrücklicher Wunsch nach dem Stil der Stauferzeit ließ außerdem nach ›gotischen‹ Innendekorationen und dem ›Zimmer der Renaissance‹, das nach Barock und Rokoko in den siebziger Jahren Mode wurde, komplette ›romanische‹ Interieurs entstehen; in diese ist zwar vieles vom Altdeutschen eingegangen, aber romanisierende Ornamentik herrscht vor, und der Rundbogen dominiert in immer neuen Variationen. Auf modernen Wohnkomfort sollte jedoch bei aller evozierter Mittelalterlichkeit dabei nicht verzichtet werden, denn, so hielt Hofsekretär Düfflipp in einem Schreiben fest, wir sind »über jene Zeitperiode, welche den romanischen Stil entstehen ließ, um Jahrhunderte hinausgerückt, und es kann doch wohl kein Zweifel darüber bestehen, daß die inzwischen gemachten Errungenschaften im Gebiet der Kunst und Wissenschaft uns auch bei dem unternommenen Bau zugut kommen müssen . . . ebensowenig möchte ich zugeben, daß wir uns ganz in die alte Zeit zurückversetzen und auf Erfahrungen verzichten sollen, welche sicherlich schon damals verwertet worden wären, wenn sie bestanden hätten.«

Die zum Teil äußerst qualitätvollen handwerklichen Arbeiten wurden, wie bei Schloß Linderhof, vor allem von Münchner Werkstätten ausgeführt; die eichenen Balkendecken, Wandvertäfelungen und Möbel von den Firmen Pössenbacher und Ehrengut, die Metallarbeiten wie die Kronleuchter und die bemerkenswerten Türbeschläge von Karl Moradelli und Eduard Wollenweber, die Textilien, die auch in Neuschwanstein in jedem Raum eine andere Farbe haben, von den Ateliers Jörres und Steinmetz.

Die Gemächer werden über einen *Vorplatz* betreten, einen wegen der Abknickung des Palas segmentförmigen Raum mit einem Kreuzrippengewölbe, das über Kapitellen mit Tiermotiven und Ritterköpfen ansetzt und mit farbigen Ornamenten verziert ist. In den Bogenfeldern der Wände über der niedrigen Vertäfelung sind Szenen aus der der Siegfried-Sage des mittelhochdeutschen Nibelungenliedes entsprechenden Sigurd-Sage der Edda dargestellt, wie sie Ludwig in seinem Brief an Richard Wagner bereits ankündigte. Wilhelm Hauschild schuf die Gemälde, angefangen bei Grypirs Weissagung von Sigurds Schicksal bis zur Verbrennung von Sigurds und Brynhilds Leichen auf dem Scheiterhaufen in Anlehnung an die Fresken der Nibelungensäle der Münchner Residenz, an deren Entstehung er als Gehilfe Julius Schnorr von Carolsfelds beteiligt war. Die stark nachgedunkelten Ölfarben verbreiten im Vergleich zu der Helligkeit des Treppenhauses eine beinah düstere Atmosphäre, kaum beleuchtet durch die wenigen kleinen Fenster und das Licht der vereinzelten Kerzen auf den schmiedeeisernen Radleuchtern.

23 Neuschwanstein, Sängersaal

Blick vom Tribünengang in den Saal. Die reiche ornamentale Bemalung mit Tiersymbolen führte nach Entwürfen von Julius Hofmann August Schultze aus.

23 Neuschwanstein, Singers' Hall

View from the passage-way into the hall. The highly ornamental painting with animal symbols was carried out by August Schultze after designs by Julius Hofmann.

23 Neuschwanstein: salle des chanteurs

De la galerie des tribunes, vue sur la salle. La riche ornementation picturale avec des animaux symboliques fut exécutée par August Schultze d'après les esquisses de Julius Hofmann.

GAWAN · RETTET ·
VERWUNDETEN · RITTER

24 Neuschwanstein, Thronsaal

Blick von der für den Thron bestimmten Estrade in Richtung Süden. Mosaikfußboden mit ornamentalen Motiven und Pflanzen- und Tierdarstellungen.

24 Neuschwanstein, Throne Room

View towards the south from the dais designed for the throne. Tesselated floor with ornamental motifs, plants and animals.

24 Neuschwanstein: salle du trône

De l'estrade destinée au trône, vue vers le sud. Parquet en mosaïque, orné de motifs empruntés au règne animal et végétal.

Nach einem kleinen quadratischen Durchgangsraum folgt ein einfach ausgestattetes *Adjutantenzimmer*, das durch zwei Bogenstellungen in einen schmalen vorderen und nahezu quadratischen rückwärtigen Teil getrennt wird. Das sich anschließende *Arbeitszimmer* hat dieselbe Aufteilung. Der rückwärtige Teil mit dem Arbeitstisch liegt im Halbdunkel, das durch die schwere geschnitzte Decke und die mannshohe profilierte Vertäfelung beklemmend wirken würde, wären da nicht die leuchtend bunten Farben, mit denen Joseph Aigner die Wandbilder aus der Tannhäuser-Sage malte, die, wie in der ganzen ›Königswohnung‹, auf Gobelinstoff ausgeführt, Wirkteppiche vortäuschen sollen. Sein Meisterstück zeigt den edlen Ritter Tannhäuser in der Grotte bei Frau Venus, die mit ihrem langen blonden Haarmantel wie eine Schwind'sche Märchenprinzessin auf einem reich drapierten Felsen thront, entkleidet, aber ebenso puppenhaft keusch wie die drei Grazien in der linken Bildhälfte. Vor dem Gemälde steht ein mächtiger Schrank mit kleinen Turmaufbauten, der zur Aufbewahrung der Schloßpläne und des Vorlagematerials bestimmt war und gegenüber ein farbig glasierter Kachelofen; die stilgerechteren Kamine verbreiteten Ludwig nicht genug Wärme und sollten deshalb keine Verwendung finden. Die gestickten Rautenwappen auf den schweren grün-goldenen Textilien – auch das Arbeitszimmer in Linderhof ist auf Grün abgestimmt – stellen den Bezug zu Bayern her, ebenso wie die beiden bekrönten Löwen auf der Rücklehne des hohen Arbeitsstuhls, die ein Rautenwappen mit Krone halten, Hinweis auf den bayerischen Staat und seinen Herrscher.

Wenn schon ein Maurischer Saal für Neuschwanstein geplant war, so ist in einer Burg des 19. Jahrhunderts bei der damals allgemeinen Begeisterung für Grotten und Höhlen auch eine künstliche Grotte nicht verwunderlich; dennoch schließt sie sich völlig unvermutet an das Arbeitszimmer an. Sie wurde, wie schon das viel größere Vorbild im Park von Linderhof, von dem Landschaftsplastiker August Dirigl angelegt, und ein Wasserfall und elektrische Lichtspiele trugen einst sehr wirkungsvoll zu ihrer Stimmung bei. Der vorhergehende Tannhäuser-Zyklus legt die Deutung als Hörselberggrotte nahe, die Ludwig nicht nur im Bild dargestellt wissen wollte, sondern auch als begehbare Realität zu erleben wünschte.

Auch auf einen *Wintergarten*, den die alten Rittersleut sicherlich nicht gekannt haben, mochte der König nicht verzichten und veranlaßte, einen verglasten Balkon vor der Grotte mit illusionistischen Wandmalereien, exotischen Gewächsen und einem kleinen Springbrunnen auszustatten und die ganze Szenerie durch viele freifliegende Vögel zu beleben.

Eine mit imitierten Felsen verkleidete Tür führt in das *Wohnzimmer*, das die Nordostecke des Palas einnimmt und durch eine Nische und einen Erker eine unregelmäßige, einer Burg angepaßte Gestalt erhält. Das Schwanenmotiv, geschnitzt und gemalt oder in Stickerei und Applikation auf den hellblauen Seidenstoffen, bestimmt die Dekoration des Raumes, der der Lohengrin-Sage vorbehalten ist, die, wie schon eingangs erläutert, für Ludwig mit dem Ort Hohenschwangau engstens verbunden war. Die Geschichte des Gralsritters und Kämpen der Elsa von Brabant erzählen die pastellfarbenen Wandgemälde Wilhelm Hauschilds und August von Heckels. Heckels Werk ist das querformatige Bild über dem Kachelofen, das in einer bühnenartig-dramatischen Inszenierung Lohengrins Ankunft in Antwerpen schildert. Zu dem Entwurf erging die Weisung: »S. M. wünschen, daß in dieser neuen Skizze das Schiff weiter entfernt vom Ufer ist, dann, daß die Kopfstellung Lohengrins nicht so schief ist, auch soll die Kette vom Schiff an den Schwan nicht aus Rosen sondern Gold sein, und soll die Burg im mittelalterlichen Styl gehalten sein.« Unter den Möbeln – Sofa, Tisch, Stühle und Hocker – ist der nach einem Vorbild auf der Wartburg angefertigte dreiteilige Schrank bemerkenswert, dessen Rundbogentüren Ferdinand von Piloty mit Malereien auf Goldgrund versah, en miniature Gottfried von Straßburg, Wolfram von Eschenbach und den sagenhaften blinden Dichter des Nibelungenliedes verherrlichend. Er steht an der Fensterwand, der Nische gegenüber, die durch drei Bogen mit Marmorsäulen und figurativen Kapitellen vom übrigen Raum abgeteilt wird und ebenfalls mit Wandbildern geschmückt ist. Die Abnutzungsspuren auf dem Bezug des ›Königssitzes‹ in ihrer rückwärtigen Mitte verraten, daß sich Ludwig, der sich mit Lohengrin zu identifizieren liebte, gerne in diesen Winkel zurückgezogen hat, bezaubert vom Mythos des hl. Gral und dem damit verbundenen Ideal absoluter Reinheit, tiefsten Glaubens und überirdischer Kraft und Macht.

Das benachbarte *Ankleidezimmer* ist ein einfach geschnittener rechteckiger Raum mit einem Erker in seiner Südostecke. Eduard Ille lieferte die über der hohen Vertäfelung eingelassenen Gemälde mit Szenen zu Leben und Dichtung Walthers von der Vogelweide und einer Darstellung des Hans Sachs im Kreise seiner Freunde, auf den sich auch die Ausmalung des Erkers bezieht.

Das größte der Bilder illustriert nach einer Vorlage von Ludwig Richter das Gedicht »Unter der linden . . .«, doch begegnet sich das ungestüme Liebespaar Walthers hier mit der für die offizielle Moral der Zeit charakteristischen artigen Zurückhaltung, die für »bluomen unde gras« keine Gefahr bedeutet. Im Zusammenhang mit dieser minniglichen Idylle, in der Louise von Kobell des »Lebens Poesie in der Kunst« zu finden glaubte, erscheint die an eine Gartenlaube erinnernde illusionistische Deckenmalerei beinahe wie eine kleine ironische Anspielung. Etwas schwer nehmen sich bei dieser luftigen Decke allerdings die violetten Textilien aus, die mit Pfauen bestickt sind, neben dem Schwan das andere Lieblingstier des Königs.

Seine Lieblingsfarbe bayerisch Blau hingegen wurde für das *Schlafzimmer* bestimmt, das wie die Schlafzimmer aller Schloßbauten Ludwigs besonders reich ausgestattet ist. Warum er es jedoch im Gegensatz zu den anderen Räumen im spätgotischen Stil einrichten ließ, ist nicht bekannt; der für die Ausführung verbindliche Entwurf Peter Herwegens lag bereits seit 1869 vor und wurde nicht mehr geändert. Die üppiggeschnitzten Möbel fertigte nach Zeichnungen Julius Hofmanns die Münchner Werkstatt Anton Pössenbacher an: einen hohen überdachten Lesestuhl in der Art eines neugotischen Bischofsthrons, einen Waschtisch mit Baldachinaufsatz, Hocker und Stühle mit Bezügen aus blauer Seide mit Löwen, Schwänen, Rautenwappen, Kronen und Lilien in farbiger Stickerei und Applikation und schließlich das prächtige Bett, das mit seinem Wald von Fialen auf dem Baldachin ein Unikat handwerklicher Leistung darstellt. Leitmotiv der Dekoration des Raumes ist Gottfried von Straßburgs ›Tristan und Isolde‹, deren tragisches Geschick die Wandgemälde vor Augen führen, die August Spieß in Anlehnung an die Szenenillustration zur Uraufführung der Oper im Jahre 1865 von Michael Echter schuf. Höhepunkt des Gedichts ist der über dem Lesestuhl veranschaulichte Liebestod, den Ludwig, im Sinne Wagners, als die Erlösung von allem Irdischen, »von allen Schlaken . . ., die der menschlichen Natur anhaften«, begriff und der zurückführt »in jenen Zustand höchster Liebes-Reinheit . . ., welcher uns wieder den heiligen Gral erblicken läßt.–« Die Hauptfiguren aus dem Tristan erscheinen noch einmal plastisch in der Schnitzarbeit der Ausgangstür und in Ton an den Ecken des Kachelofens. Die vier Holz-Skulpturen in den Spitzbögen des Mittelpfeiler-Kapitells werden als Minnesänger gedeutet.

An das Schlafzimmer angefügt ist ein fünfeckiger *Erker* mit Polsterbank und bleiverglasten Fenstern, darin die Wappen von Wittelsbach, Bayern und Schwangau. Die Tür daneben führt zu einer kleinen quadratischen *Hauskapelle* mit geschnitzten gotisierenden Zierraten und Säulenbündeln, auf deren Kapitellen über Engelsbüsten die Rippen eines Spitzbogengewölbes fußen. Die beiden Wandbilder und der Flügelaltar von Wilhelm Hauschild sind dem hl. Ludwig gewidmet, dem der König als seinem Namenspatron ganz besondere Verehrung entgegenbrachte.

Als letzter der Privaträume bleibt noch das auf Rot abgestimmte *Speisezimmer*, das Ferdinand von Piloty, Bruder des berühmten Historienmalers Karl von Piloty, mit Begebenheiten aus dem Leben der Minnesänger auf der Wartburg ausmalte. Die Sorgfalt, die Piloty auf die Behandlung der mittelalterlichen Kostüme verwendete, gibt eine Beschreibung von Louise von Kobell wieder, die sich auf die Szene mit der Hofgesellschaft im Freien zwischen den beiden Fenstern bezieht: »Im bunten Wechsel trägt einer ein Wams aus Goldbrokat, ein anderer ein grünes Unter- und ein veilchenblaues Oberkleid, da sieht man ein juwelenverziertes Barett, dort ein Blumenkränzlein, einen Federschmuck auf dem Helm, von der Mode zugespitzte Schnabelschuhe und den Handschuh, der an oder in der Hand, oder auf der Kopfbedeckung einen ganzen Kodex von Bestimmungen über Courtoisie und Schwärmerei, Ehrerbietung und Unterwürfigkeit enthielt.«

Die Kobell erinnert auch daran, daß der Speisesaal »mit seinen schimmernden Platten und Aufsätzen, Schalen und Leuchtern, mit den behäbigen Stühlen und Tischen, mit den Prunk- und Kredenzkästen« wohl geeignet war, »zahlreiche Gäste zu fassen, von Tafelmusik und fröhlichen Trinksprüchen zu widerhallen«, aber der König seine Mahlzeiten allein einzunehmen pflegte, wobei die Diener angeblich Masken tragen mußten, um durch ihre unpassenden Physiognomien das poetische Ambiente nicht zu stören.

Ein Dienerzimmer mit einer elektrischen Läutanlage und ein schmaler Durchgangsraum verbinden wieder mit dem Vorplatz.

Im vierten Obergeschoß läuft die *Wendeltreppe* in einen achteckigen, mit Dreiviertelsäulen gegliederten Raum aus, wo die Treppenspindel in eine naturalistisch gefaßte Palmensäule aus Marmor übergeht, die ihre Blätter unter einem nachtblauen Gewölbe mit goldenen Sternen ausbreitet. Eine Drachenfigur als Treppenrampe versinnbildlicht den Wächter des Turms.

An den Wänden des *Oberen Vorplatzes* setzte Wilhelm Hauschild die Schilderung der Sigurd-Sage mit der Gudrun-Sage der Edda fort, die mit der wunderbaren Errettung der Heldin an der Eingangswand mit dem großen steinernen Rundbogenportal endet. Auf der linken Seite liegt der Eingang zum Sängersaal.

Wahrscheinlich stand schon bei dem Besuch auf der Wartburg der Entschluß des Königs fest, den *Sängersaal* als einen Schauplatz der Tannhäuser-Oper, in der der legendäre Wettstreit unter den Dichtern stattgefunden haben soll, in Neuschwanstein nachzuahmen, ja es wird sogar vermutet, daß dieser Plan den eigentlichen Anstoß zum Bau der neuen Burg gegeben habe. Doch wurde der ›historische‹ Raum auf der Wartburg, der selbst eine Nachbildung des 19. Jahrhunderts ist, nicht direkt kopiert, sondern in seiner architektonischen Gestalt mit dem darüber gelegenen Festsaal verbunden; auch dieser vermittelte die mittelalterlichen Pfalzbauten entlehnten Motive einer Laube und einer Galerie. 1868, noch vor der Grundsteinlegung, hatte Christian Jank eine erste Ansicht des Saales fertiggestellt, 1878 folgte ein nicht wesentlich veränderter zweiter Entwurf, der für die Ausführung weitgehend verbindlich blieb. Diese wurde nach Plänen Julius Hofmanns von 1882/83 festgelegt.

In den rechteckigen Saal ist auf der nördlichen Langseite eine Tribüne eingestellt, deren durchfensterte Stützmauer unten eine Galerie abtrennt, den sogenannten Tribünengang. An seinen Wänden werden als Vorbereitung auf die Szenen aus der Parsifal-Dichtung im Saal die Abenteuer seines Vaters Gahmuret und Gawans, des glänzendsten Ritters der Tafelrunde, erzählt. Mit dem von August Spieß veranschaulichten Parsifal-Stoff aber verbinden sich das Wartburg-Thema und die Tannhäuser-Idee wieder mit dem Gralsmythos als Ausdruck des Erlösungsgedankens, der für den König im immerwährenden Kampf gegen die eigene Natur »allmählich geradezu zum zentralen Punkt seines innersten Lebens« geworden war. Den Gralskönig Parsifal (Vater des Schwanenritters Lohengrin), der »des wahren, ächten Königthums Weihe empfing, das durch Demuth und Vernichtung des Bösen im Innern erworben wird, worin die wahre Gewalt liegt«, ihn rief er als Erlöser an: » ›Stark ist der Zauber des Begehrenden, doch stärker ist der des Entsagenden‹ ! Welche Größe, welch eine erschütternde Wahrheit in diesen Worten! – O Parcifal, Erlöser . . .«. Seine Beziehung zu der Dichtung nahm schon früh sakralen Charakter an. 1865 schrieb er an Wagner, nachdem er den Vorentwurf zur Oper erhalten hatte voll Ungeduld: ». . . O Parcifal, wann wirst Du geboren werden?! Ich bete sie an, diese höchste Liebe, das Versenken, das Aufgehen in den qualvollen Leiden der Mitmenschen! – Wie hat mich dieser Stoff ergriffen! – Ja, diese Kunst ist heilig, ist reinste, erhabenste Religion.«

Im Juli des folgenden Jahres begann er einen neuen Band seiner Tagebuch-Aufzeichnungen, »der auf dem Einband mit einer an das spätere Schloß Neuschwanstein gemahnenden Darstellung einer Ritterburg, auf der Innenseite aber mit einer Krone, darunter Zepter und Reichsapfel, jeweils von Kreuzen gekrönt, und mit einer Schale als Abschluß geschmückt worden war. Sie trägt eine kirchenslawische Inschrift (Mittels dieser Schale Herrgott . . .).« Im Zeichen des heiligen Grals, Symbol unbefleckter Reinheit, hofft er zu obsiegen und aus seiner Unvollkommenheit erlöst zu werden, um sich der Krone würdig zu erweisen.

Der im Sängersaal bildhaft gewordene Erlösungsgedanke wird im *Thronsaal* zusammen mit der Idee vom Königtum von Gottes Gnaden, die in der politischen Realität des 19. Jahrhunderts bedeutungslos geworden war und nur in der Vorstellungs- und Gefühlswelt Ludwigs weiterlebte, zum Höhepunkt geführt.

Ein Thronsaal war bereits in den Plänen Riedels in Gestalt eines Empfangs- oder Audienzsaales projektiert, aber schon 1869 reichte Eduard Ille zwei nach Albrecht von Scharfenbergs Beschreibung der Gralsburg im ›Titurel‹ angefertigte Aquarelle ein, die »das Innere und Äußere eines Gralstempels darstellten« und entwickelte daraus 1876/77 die ersten Entwürfe zu einem Thronsaal unter vom König geforderter Berücksichtigung des Innenraumes der Münchner Allerheiligenhofkirche und der Hagia Sophia in Konstantinopel.

Nachdem Julius Hofmann Anfang der achtziger Jahre die malerischen Ansichten Illes in Planzeichnungen umgesetzt hatte, wurden die Arbeiten 1884 in Angriff genommen, doch konnte durch den plötzlichen Tod Ludwigs der zweigeschossige Prunkraum, der den Westtrakt des Palas einnimmt, nicht mehr vollendet werden. Es fehlt der Thronsessel aus Gold und Elfenbein mit freistehendem Baldachin, der, einem Altar vergleichbar, auf der durch Marmorstufen erhöhten Estrade in der Apsis Platz finden sollte, sowie die vier lebensgroßen Marmorengel mit den Wappenschildern von Bayern, Wittelsbach und Schwangau auf den Sockeln der Treppenbalustrade.

Wie sehr dieser Raum dem König am Herzen lag, zeigt, daß er das von Wilhelm Hauschild und Gehilfen ausgeführte Bildprogramm, das in der Aufzeichnung von Hyazinth Holland überliefert ist, persönlich zusammengestellt hat. Den Thron wollte er als »Ausgang autoritativer Gesetzgebung« verstanden wissen. »Um dies anschaulich zu machen, sind in den großen Schildflächen der Kuppel links vom Thron die Gesetzgeber der großen Culturvölker der Heiden, die Inder durch Manu, die Perser durch Zoroaster, die Egypter durch Hermes, die Griechen durch Solon und die weltbeherrschenden Römer durch Augustus repräsentiert. Auf der rechten Seite ist Moses als Vermittler der von Gott offenbarten Gesetze dargestellt. Gegenüber dem Thron sind die drei hl. Könige, die Weisen aus dem Orient, dargestellt, welche dem Sterne als dem Zeichen des in die Welt getretenen göttlichen Lichtes folgen. Unter diesem Bildnis ist St. Michael als der Sieger des geistig Bösen und St. Georg als Überwinder der physisch bösen Gewalten abgebildet. In der Thron-Nische ist Christus umgeben von Cherubimen und den symbolischen Attributen der Evangelisten als höchster Gesetzgeber auf dem Regenbogen sitzend dargestellt, zum Zeichen, daß er über Himmel und Erde gebietet. Zu den Füßen knieend die hl. Maria und Johannes der Täufer, als Fürbitter für das Menschengeschlecht. Auf beiden Seiten anbetende Engel. Über dem Thron stehen sechs heiliggesprochene Könige, welche durch Erfüllung und Überwachung der göttlichen Gesetze als Vorbilder unter Palmen des Friedens glänzen. Am Aufgang zum Throne, an den Seitenwänden, stehen die hl. zwölf Apostel als die Träger der göttlichen Gebote. An den Wänden des Saales sind die hervorragenden Charakterzüge aus dem Leben der sechs hl. Könige geschildert . . .«

Den sakralen Bildinhalten entspricht die feierliche Pracht der byzantinischen Architektur mit den porphyr- und lapislazulifarbenen Säulen und dem vielen Gold und Marmor. Dem entspricht auch der große Doppelreif des Kronleuchters aus vergoldetem Messing und Elfenbein, den Eugen Drollinger in Anlehnung an den berühmten Leuchter in Großkomburg entworfen hat. Für den König mit seinem Anspruch auf eine gottähnliche Stellung des Monarchen bedeutete der Stil des theokratisch regierten Ostrom die Verkörperung des größten Maßes an herrscherlichem Glanz und herrscherlicher Würde. Von seinen byzantinischen Projekten, darunter zwei Schloßanlagen, wurde jedoch nur der Thronsaal von Neuschwanstein ausgeführt.

Vom Thronsaal aus wird der *Söller* der Westseite betreten, der einen großartigen Ausblick auf Gebirge, Seen und Flachland bietet. Die Pöllatschlucht unter der weitgespannten Marienbrücke, der Alpsee mit Hohenschwangau, der Schwansee, Hopfensee und Forggensee, die Tiroler Berge der Tannheimergruppe und der Säuling umgeben Neuschwanstein wie ein riesiger idealer Landschaftspark, in dem sich das von der Burg Tannhäusers und Lohengrins zur Gralsburg gewandelte Bauwerk als monumentaler Point de vue über unzugänglich erscheinendem Felsgestein emportürmt.

Schloß Herrenchiemsee

»Es soll gewissermaßen ein Tempel des Ruhmes werden, worin ich das Andenken an König Ludwig XIV. feiern will.«

(Ludwig II.)

Der Bau des Inselschlosses Herrenchiemsee, das nach der Vorstellung Ludwigs II. »Versailles in seiner ganzen Größe« darstellen sollte, ist das eindrucksvollste Zeugnis für seine Hochschätzung und Idealisierung der Bourbonenkönige und des durch sie verkörperten Absolutismus.

Schon während der Jünglingsjahre, lange bevor seine hochgespannte Ideologie vom Königtum die sakralen Züge annahm, wie sie im Thronsaal von Neuschwanstein Gestalt angenommen hat, entzündete sich die Phantasie Ludwigs an der Welt des ›ancien régime‹, dem Frankreich des 17. und 18. Jahrhunderts. Schloß Versailles erschien ihm als Inbegriff dieser vom Absolutismus geprägten Zeit, und bereits 1868 stand sein Entschluß fest, es für sich selbst aufs neue zu errichten. Zunächst wurde dieser Plan jedoch zugunsten des Baus der ›Königlichen Villa‹ Linderhof zurückgestellt, die ebenfalls vom Geiste Versailles' durchdrungen ist. Mit der Aufstellung des Reiterstandbildes Ludwigs XIV. im Vestibül feierte der König das Andenken an den großen französischen Monarchen, den er wohlgemerkt nicht als politische Figur verehrte, sondern als hervorragendsten Repräsentanten eines verherrlichten Zeitalters.

Die Bourbonen standen Ludwig II. jedoch umso näher, als er sogar seinen Namen auf ihre Dynastie zurückführen konnte. Sein Großvater und Taufpate, Ludwig I., wurde 1776 noch von König Ludwig XVI. aus der Taufe gehoben, ein familiengeschichtliches Ereignis, das nun in mystischer Verklärung erschien. Die auf der Patenschaft beruhende verwandtschaftliche Beziehung mochte Ludwig auch bei seinen Studien beflügelt haben. Mit unermüdlichem Eifer nämlich vertiefte er sich in Kunst und Geschichte der Bourbonenzeit, unterstützt von Kabinettssekretär Friedrich von Ziegler, der die gesamte Lektüre beschaffen mußte. Walter von Rummel, der Schwiegersohn Zieglers, berichtet die näheren Umstände:

»Vor allem mußten alle Bücher des 17. und 18. Jahrhunderts, welche die Zeit Ludwigs XIV. und XV. behandelten, zur Stelle. Da der König nicht alles selbst lesen wollte, hatte wiederum Ziegler über die gesamte Riesenliteratur dem Monarchen die eingehendsten Vorträge zu halten, Auszüge aus den Riesenwerken Mercure de France, Mercure galant zu machen . . . Schon die Titel dieser unzähligen Werke füllen ganze Bände.

Alle die französischen Ludwigs, der vierzehnte, fünfzehnte und sechzehnte, ihre Frauen und Maitressen, die Dauphins, der Prince de Condé, der Herzog von Berry, die Grafen von Artois und der Provence werden wieder aus dem Schlaf geweckt. Das gesamte prunkhafte Hofleben jener Zeit wird heraufbeschworen, diese in Versailles und Fontainebleau abgehaltenen fêtes galantes, Kavalkaden, Karussells, Ringstechen, großen Messen, Aufzüge, Illuminationen, Feuerwerke, Konzerte, Allegorien und ländliche Schäferfeste.«

Im Zuge eines allgemein verbreiteten Personenkultes wurde damals eine große Anzahl teils vergessener, teils bisher ganz unbekannter Memoirenwerke, Briefsammlungen und Dokumente ans Licht gebracht, »welche Meister des Stils und der Erzählkunst zu Zeit- und Lebensbildern verarbeiteten, die das lesende Publikum immer mehr selbst spannenden Romanen vorzog.« Und Ludwig wollte tatsächlich Kenntnis von allem erhalten, was »aufzutreiben« war. »Das Alte interessierte ihn wie das Neue, das Geschriebene wie das Bildliche.« Selbst die bayerische Gesandtschaft in Paris wurde ununterbrochen mit der Beschaffung von Unterlagen beauftragt und ihre Beamten mußten Kupferstichauktionen besuchen, Photographien und Abbildungen aller Art zusammentragen, Kopiezeichnungen von Schlössern anfertigen lassen und mit französischen Schriftstellern Verbindung aufnehmen, darunter den Brüdern Goncourt, »um besondere Aufschlüsse von ihnen zu erhalten und sie zur Vollendung der von ihnen begonnenen Werke anzufeuern.« In diesem Zusammenhang seien auch die unzähligen Theaterstücke zum Leben der Bourbonenkönige erwähnt, die Ludwig, der die historische Genauigkeit pedantisch bis in alle Einzelheiten des Hofzeremoniells überprüfte, vor allem bei seinem Hofdichter Karl von Heigel in Auftrag gab.

Wie bereits erwähnt, zeigte sich der König schon im Jahre 1868 entschlossen, ein neues Versailles zu errichten. Das mit »Meicost Ettal«, einem Anagramm der Devise Ludwigs XIV. »L' état c' est moi«, geheimnisvoll bezeichnete Projekt war zunächst für das Graswangtal bestimmt (Schloß Linderhof). Der Architekt Georg Dollmann hatte dazu von 1868 bis 1873

25 Schloß Herrenchiemsee

Blick über das westliche Hauptparterre auf die Gartenfront.

25 Herrenchiemsee Palace

View over the west parterre to the garden façade.

25 Château de Herrenchiemsee

Au-delà du parterre principal ouest, vue sur la façade côté jardin.

26 Herrenchiemsee, Vestibül

Im Erdgeschoß des Mitteltraktes gelegen. In der Mitte eine Monumentalvase aus Marmor mit Pfauenpaar aus Bronze und farbiger Emaillierung. Der Pfau, Symbol königlicher Macht und Würde, war neben dem Schwan das Lieblingstier Ludwigs II.

26 Herrenchiemsee, Vestibule

On the ground floor of the main tract. In the middle a monumental vase of marble with a pair of peacocks in bronze with coloured enamel. The peacock, symbol of royal power and dignity, was Ludwig II's favourite animal next to the swan.

26 Herrenchiemsee: vestibule

Situé au rez-de-chaussée du bâtiment médian. Au milieu, vase monumental en marbre avec couple de paons en bronze revêtu d'émail polychrome. Le paon, symbole de puissance et de dignité royale, était en sus du cygne l'animal préféré du roi.

zwei aufeinanderfolgende *Entwürfe* vorgelegt, die, ausgehend von einem kurzen Trakt, immer größere Dimensionen annahmen und dabei dem Versailler Vorbild mehr und mehr glichen. Inzwischen war jedoch längst mit dem Bau von Schloß Linderhof begonnen worden und ein neuer, weit besser geeigneter Standort fand sich erst im September 1873, als Ludwig den Kauf der von Abholzung bedrohten Herreninsel im Chiemsee veranlaßte. In dem diesbezüglichen Telegramm heißt es ausdrücklich: »Schließen Sie den Kauf sofort ab, das Gelände scheint entsprechend zu sein. Ludwig.«

Bekanntlich hatte der König, der die Berge über alles liebte, für die landschaftliche Schönheit des weiten, flachen Chiemgaus nur wenig Sinn. Aber die Vorstellung eines Inselschlosses mußte für ihn, der die Abgeschiedenheit in der Natur und die Einsamkeit suchte, etwas besonders Anziehendes gehabt haben; eine Zeitlang stand auch der Kauf einer Insel im Staffelsee zur Debatte.

Ungeachtet der scharfen Kritik seitens der national gesinnten Bevölkerung ließ Ludwig noch während des deutsch-französischen Krieges die Bücherbestellungen in Paris wieder aufnehmen. Nach ihrer Neubesetzung wurde auch die bayerische Gesandtschaft sogleich wieder für die Baupläne des Königs eingespannt, der im August 1874 selbst nach Frankreich reiste, um sein »angebetetes Versailles« noch einmal zu besichtigen.

Bereits ein Jahr vorher war mit der Vermessung der Herreninsel durch Dollmann begonnen worden, der als verantwortlicher Architekt auch die gleichzeitigen Bauunternehmen in Linderhof und Hohenschwangau leitete. Doch sollte es noch fünf Jahre dauern bis am 12. Mai 1878 der Grundstein zum neuen Schloß gelegt wurde und damit die Bauarbeiten einsetzten, deren Dauer man auf sechzehn Jahre berechnete. Die approximative Summe der Kosten belief sich auf 6,8 Millionen Gulden, also nicht ganz 12 Millionen Mark.

Dem Bau zugrunde gelegt wurde der zwölfte der genannten Dollmannschen Entwürfe, der, mit der Aufschrift »Letztes Projekt« versehen, das vorläufige Endstadium eines langen aber kontinuierlich vorangeschrittenen Planungsprozesses darstellt. Ergebnis dieser langen Entwicklung ist eine Art purifiziertes Versailles, das von einem Architekten unter einem Bauherrn erschaffen zu sein scheint: das uneinheitliche Bild der von Ludwig XIII. als kleines Jagdschloß begonnenen und von seinen Nachfolgern in mehreren Etappen ausgebauten Residenz der Bourbonenkönige war mit den idealen Vorstellungen Ludwigs II. nicht in Einklang zu bringen. Außerdem interessierten ihn, wie aus seinen persönlichen Äußerungen ebenso wie aus der unregelmäßigen Zusammensetzung des Grundrisses und seiner Diskrepanz zum Außenbau hervorgeht, nur ganz bestimmte, auf das Hauptgeschoß bezogene Raumgruppen, die im Sinne des 19. Jahrhunderts in eine Architektur strenger Symmetrie eingebettet wurden.

Bezeichnenderweise hatte der König schon 1875 (drei Jahre vor der Grundsteinlegung) die Aufträge zum Prachtbett des Paradeschlafzimmers vergeben und ließ sich seitdem fast monatlich über den jeweiligen Stand der Arbeiten Bericht erstatten. Der Bau von Herrenchiemsee hat also eigentlich mit der Schaffung des wichtigsten Einrichtungsgegenstandes des ›Chambre à coucher du Roi‹ begonnen; zusammen mit der Spiegelgalerie war dieses untrennbar mit dem Bild Ludwigs von Versailles verbunden und stand schon bei der Planung im Vordergrund, ähnlich wie der Sängersaal in Neuschwanstein.

Das große Schlafzimmer und die Spiegelgalerie, die Christian Jank bereits 1873 für die Separatvorstellungen als Bühnenbilder nachbilden mußte, waren auch die ersten Räume, die Ludwig – er hatte die Insel seit 1875 kein einziges Mal mehr betreten – 1881 im Rohbau des Haupttraktes vollendet besichtigen konnte. Seine Begeisterung darüber soll so groß gewesen sein, daß er Dollmann, der 1876 bereits mit dem Ritterkreuz des Verdienstordens der bayerischen Krone und dem damit verbundenen persönlichen Adel ausgezeichnet worden war, sogleich zum Hofoberbaudirektor beförderte.

Der dreigeschossige hufeisenförmige *Haupttrakt* ist mit seiner Westseite eine ziemlich getreue Kopie der berühmten Versailler Gartenfassade, die der große französische Barockbaumeister Jules Hardouin Mansart für Ludwig XIV. geschaffen hat. Sie umfaßt hier wie dort 25 Fensterachsen und wird durch einen mittleren und zwei seitliche Risalite gegliedert, die sich über einem bossierten Sockelgeschoß in einer gebälktragenden Säulenstellung öffnen. Das Hauptgeschoß mit seinen von Pilastern gerahmten Rundbogen-

27 Herrenchiemsee, Prunktreppenhaus

Entstand in Anlehnung an die seit 1671 von François d'Orbay erbaute Botschaftertreppe in Versailles, die 1750 wieder abgerissen wurde.

27 Herrenchiemsee, State Staircase

Built as a reproduction of the Ambassadors' Staircase in Versailles by François d'Orbay, 1671, which was demolished in 1750.

27 Herrenchiemsee: l'escalier d'honneur

Il s'inspire de l'escalier des ambassadeurs à Versailles, construit par François d'Orbay en 1671 mais démoli en 1750.

28 Herrenchiemsee, Hartschiersaal

An den Wänden die Hellebarden der Hartschiere, der Leibwache der bayerischen Könige. Im Hintergrund eine Kopie nach Van der Meulen ›Einzug Ludwigs XIV. in Arras‹; Marmorbüste des Marschalls de Condé.

28 Herrenchiemsee, King's Guard Room

On the walls the halberds of the Royal Guard of the Bavarian kings. In the background a copy of "The Entrance of Louis XIV into Arras" after Van der Meulen; marble bust of Marshal Condé.

28 Herrenchiemsee: salle des gardes du corps

Au murs, les hallebardes de la garde des rois de Bavière. A l'arrièreplan, une copie de l'oeuvre de Van der Meulen «Entrée de Louis XIV à Arras». Buste en marbre du maréchal de Condé.

türen ist jedoch niedriger geworden und die darüberliegende Attikazone durch die Reliefumrahmung der Fenster und zusätzliche Trophäen reicher gestaltet.

Der von Franz Widnmann entworfene Statuenschmuck wurde bisher nur zum Teil gedeutet, so die Nischenfiguren des Mittelrisalits als ›Flora‹ und ›Ceres‹ und die Figuren auf dem Gebälk der Seitenrisalite als Allegorien der Tugenden, Wissenschaften und Künste. Auf der Nord- und Südseite, die mit ihren 18 Fensterachsen und drei gleichgebildeten Risaliten wieder ganz auf das Vorbild bezogen sind, wird der Kreis der Statuen durch die Verkörperungen der Berufsstände erweitert sowie durch die allegorischen Darstellungen von ›Krieg‹ und ›Frieden‹ und die Figur des ›Ruhmes‹, die sich auf der Hofseite um die giebelartig über dem Mittelrisalit angebrachte Uhr gruppieren.

Die Fassaden des Ehrenhofes folgen in vereinfachter Form dem Aufriß der Gartenfront, denn die Nachahmung der noch auf Ludwig XIII. zurückgehenden ›Cour de Marbre‹, die schon die Baumeister Ludwigs XIV. als störend empfanden, wurde von Ludwig II. mit den Worten abgelehnt: »S. M. sind erstaunt, daß Sie gefragt haben, wie die Facade vom Marmorhof werden soll. S. M. wollen die Zeichnung vorgelegt bekommen, die Facade muß im Style Ludwigs XIV., nicht im Style Ludwigs XIII. werden.«

Im historizistischen Louis quatorze waren auch die sich nach Norden und Süden erstreckenden Seitenflügel konzipiert, von denen der nördliche, der 1907 wieder abgebrochen wurde, zur Zeit der Katastrophe bereits fertig stand, während der südliche sich erst in den Fundamenten abzeichnete, als 1885 die Einstellung des Baus verfügt wurde. Somit fehlte an entscheidenden Bauteilen nur noch die Kapelle, die, wie sich anhand des reichlichen Planmaterials feststellen läßt, wiederum eine Nachahmung der Schloßkapelle in Versailles sein sollte und wie diese als Anbau an den nördlichen Seitenflügel gedacht war. Auch die projektierten Stallungen und Wirtschaftsgebäude kamen nicht mehr zur Ausführung.

Da Dollmann aus nicht zu erhellenden Gründen in den achtziger Jahren in Ungnade fiel, trat Julius Hofmann als neuer Hofoberbaurat am 16. Oktober 1884 dessen Nachfolge an. Wie ernst Hofmann diese Aufgabe nahm, geht aus einem Schreiben an den König hervor, in dem er versichert, ihm sein ganzes Leben widmen zu wollen, »um bloß in dieser Richtung wirken zu können«.

Hofmann, der auch entscheidend bei der Fertigstellung und Innenausstattung von Neuschwanstein mitwirkte, war maßgebend an der *inneren Gestaltung* von Herrenchiemsee beteiligt, die 1879 in Angriff genommen wurde, als der Rohbau des westlichen Haupttraktes gerade vollendet worden war. Der Vorrang der Spiegelgalerie mit den beiden Ecksälen, dem Saal des Friedens und dem Kriegssaal, und des Wand an Wand zur Galerie gelegenen Paradeschlafzimmers als dem eigentlichen Herzstück der gesamten Anlage wurde schon betont. Zusammen mit dem Beratungszimmer und drei Vorzimmern bilden diese Räume die ›Grands Appartements du Roi‹, die im einzelnen tiefer, breiter und höher sind, als die entsprechenden Staatsräume in Versailles.

Nie hat Ludwig daran gedacht, das ›Große Appartement‹ selbst zu bewohnen, sondern es sollte von Anfang an allein dem Andenken des gelobten Roi Soleil gewidmet sein. Erst in zweiter Linie ging es darum, auch für ihn eine Wohnung zu schaffen, die er übrigens nur ein einziges Mal und für sehr kurze Zeit, nämlich gleich nach ihrer Vollendung, vom 7. bis 16. September bezogen hat. Mit seiner Lage in dem zurückspringenden Flügel der Nordseite entspricht das sogenannte ›Kleine Appartement‹ den Versailler Appartements Ludwigs XV.

Wozu die nicht über den Rohbau hinaus gediehenen Räume der Gartenseiten des Nord- und Südflügels dienen sollten, ist nicht bekannt und es fehlt auch jegliche Angabe zur Bestimmung von Erdgeschoß und Attikazone. Ebenso bleibt unklar, wozu die 125 Meter langen Seitenflügel gedacht waren. An den Baumeister und die Pariser Gesandtschaft ergingen zwar hin und wieder Anfragen, wo beispielsweise die Appartements des Duc de Luynes, des Marquis de Sourches oder des Marquis Dougeron gelegen hätten, »doch nirgends ist erkennbar, daß dieses Interesse den König zu irgendeinem Baugedanken beflügelt hätte«. Vielmehr scheint seine Absicht mit den Großen und Kleinen Appartements und der dazugehörigen Prachttreppe im Rahmen einer vollständigen Außenarchitektur erfüllt zu sein; »die ungeheuren Höhlen aus Rohmauerwerk«, die den heutigen Besucher, der aus dem Zauber

29 Herrenchiemsee, Erstes Vorzimmer

Im Spiegel ein Prunkschrank in Boulle-Technik, entworfen von Franz Stulberger, vermutlich zur Aufbewahrung von Musikinstrumenten bestimmt.

29 Herrenchiemsee, First Antechamber

Reflected in the mirror a magnificent boule cabinet designed by Franz Stulberger, supposedly to store musical instruments.

29 Herrenchiemsee: première antichambre

Se reflétant dans le miroir, une armoire d'apparat, fabriquée selon la technique de Boulle d'après les dessins de Franz Stulberger, destinée probablement à garder des instruments de musique.

30 Herrenchiemsee, Zweites Vorzimmer

Wegen des querovalen Fensters in der Deckenzone nach dem Vorbild in Versailles auch Ochsenaugensaal genannt. Die beiden Kaminspiegel reflektieren in einer unendlichen Folge die beiden Kristall-Lüster.

30 Herrenchiemsee, Second Antechamber

Named after the original in Versailles the "Ox-eye Chamber" on account of the oval-shaped window near the ceiling. The two crystal chandeliers are reflected unendlessly in the mirrors over the two fireplaces.

30 Herrenchiemsee: Deuxième antichambre

A cause de la fenêtre ovale de la corniche, appelée aussi salle de l'oeil-de-boeuf d'après son modèle versaillais. Les deux miroirs au-dessus de la cheminée reflètent à l'infini les deux lustres en cristal.

der Schauräume tritt, wie die nüchterne Welt hinter den Kulissen anmuten, ließen ihn offenbar unberührt.

16 579 674 Mark hat der Bau von Herrenchiemsee mit seiner Ausstattung schließlich gekostet. Doch während mit dieser Summe einerseits die extravaganten und den meisten unverständlichen Wünsche eines königlichen Bauherrn befriedigt wurden, so hat ihre Aufwendung zugleich entscheidend zur Förderung und Blüte des Münchner Kunsthandwerks beigetragen, das auch durch die Aufträge zu den anderen Bauten Ludwigs zu überregionalem Rang aufsteigen konnte.

Neben Hofmann und seinen Mitarbeitern Franz P. Stulberger und Franz Fortner lieferte auch hier Franz Seitz eine Reihe von Wandabwicklungen und Entwürfen zum Mobiliar. Philipp Perron war mit Bildhauerarbeiten, Stukkaturen und Schnitzereien zugleich beschäftigt, während die Textilien wieder in den Ateliers Jörres und Bornhauser angefertigt wurden.

Die meisten der Maler, darunter Julius Benczur, Wilhelm Hauschild, Ludwig Lesker, Ferdinand von Piloty und Eduard Schwoiser, hatten bereits in Linderhof gearbeitet. So auch der Historienmaler August Spieß, der sich mit den Imperatorenbüsten für die Spiegelgalerie diesmal als Bildhauer versuchte.

Voraussetzung für alle beteiligten Künstler bildete wieder die Anerkennung der Konzeption des Königs als obersten Grundsatz. Und Ludwig, der sich eine nach alten Quellen zusammengestellte Beschreibung sämtlicher Zimmer in Versailles hatte anfertigen lassen, »da viele von den Gemächern ... gegenwärtig lange nicht mehr so erhalten sind, wie dieses zur Zeit Ludwigs XIV. und des XV. der Fall war«, griff auch in Herrenchiemsee häufig korrigierend in ihren Schaffensprozeß ein. Die Art und Weise seiner Kritik wurde am Beispiel von Schloß Linderhof bereits durch entsprechende Zitate veranschaulicht.

Offizieller Aufgang zum Hauptgeschoß ist das 1884 fertiggestellte große *Prachttreppenhaus* am Ende des Südflügels. Es wurde der legendären ›Escalier des Ambassadeurs‹ nachgebildet, die in Versailles an derselben Stelle des Nordflügels lag und 1752 den Privatgemächern Ludwigs XV. weichen mußte.

Diese ›Botschaftertreppe‹, die schon in den ersten, noch für den Linderhof bestimmten Entwürfen von 1869 erscheint, folgt im Aufbau der mit mehrfarbigem Marmor und Stuckmarmor verkleideten Wände genau dem in Plänen und Stichen überlieferten Vorbild; durch das abschließende Glasdach mit seiner funktionalen Eisenkonstruktion erfährt es jedoch eine entscheidende Umdeutung. Ähnlich mag die Stimmung in einem der Säle des Glaspalastes bei den großen Kunstausstellungen gewesen sein. Doch während der Zweck die Lichtfülle dort geradezu forderte, läßt sie hier den Farbenreichtum von Wandverkleidungen, Gemälden, Balustraden und Fußbodenbelag allzu bunt erscheinen. Ausgesprochen grell mutet die Vergoldung und das Weiß des Stukkaturenschmucks an, der sich unterhalb der Decke zwischen gemalten Scheingewölben besonders üppig entfaltet.

In grell-weißem Stuck wurde – freilich nur provisorisch – auch die von Diana und zwei Nymphen gebildete Figurengruppe der Brunnennische auf dem mittleren Treppenabsatz ausgeführt. Doch wie das barocke Bild der Gleichsetzung des fließenden Wassers mit dem Fließen der Stufen vergessen scheint, wenn mit den Worten Dollmanns der Brunnen recht prosaisch zur »Abkühlung und Ventilation« bestimmt wird, ist auch von der ehemaligen Funktion der Botschaftertreppe als gleichzeitiger repräsentativer Staatsraum, in dem im Beisein der ganzen Hofgesellschaft Konzerte stattfanden und bisweilen sogar kirchliche Zeremonien, nichts in das als reinen Durchgangsraum begriffene Treppenhaus in Herrenchiemsee eingegangen.

Durch die Verlagerung der Funktion wird auch die Änderung des Bildprogramms verständlich, das nicht mehr den Sonnenkönig als politische Gestalt verherrlicht, sondern völlig unpolitische allegorische Züge angenommen hat. Eine Statue des Apoll, des Idealbildes männlicher Vollkommenheit, nimmt nun die Mittelnische der oberen Etage ein, wo in Versailles die Büste Ludwigs XIV. in einem sinnvollen Zusammenhang mit dem fließenden Wasser des darunterliegenden Brunnens die wirtschaftliche Prosperität des absolutistischen Staatsgefüges symbolisierte. Und an die Stelle der großen Wappen und Kriegstrophäen an den Wänden traten die Statuen der Göttinnen Minerva, Ceres und Flora. Die perspektivische Auflösung der rahmenden Wandfelder durch gemalte Loggien ist wieder übernommen, doch stehen

31 Herrenchiemsee, Paradeschlafzimmer

Gilt als das kostbarste Gemach seiner Zeit. Die Ausstattung übertrifft das Schlafzimmer Ludwigs XIV. in Versailles bei weitem.

31 Herrenchiemsee, Parade Bedchamber

Held to be the most costly room of its time. The furnishing far surpasses that of Louis XIV's bedchamber in Versailles.

31 Herrenchiemsee: chambre à coucher de parade

Elle passe pour la pièce la plus précieuse de son époque. Sa décoration luxueuse surpasse de loin celle de la chambre de Louis XIV à Versailles.

32 Herrenchiemsee, Spiegel im Paradeschlafzimmer

Auf dem Waschtisch eine Toilettengarnitur aus vergoldeter Bronze. Über dem Spiegel in Reliefstickerei das verschlungene Initial Ludwigs XIV. in einem mit Blüten besetzten Strahlenkranz.

32 Herrenchiemsee, Mirror in the Parade Bedchamber

On the washstand toilet articles in gilded bronze. Over the mirror an embroidered relief of the monogram of Louis XIV in a garlanded corona.

32 Herrenchiemsee: miroir dans la chambre à coucher de parade

Sur la table de toilette, une garniture en bronze doré; au-dessus du miroir, broderie en relief: l'initiale entrelacée de Louis XIV au centre d'un halo orné de fleurs.

hinter den Brüstungen nicht mehr die Vertreter aller Erdteile, um Ludwig XIV. zu huldigen, sondern liebliche allegorische Frauengestalten, die den eintretenden Fürsten mit Blumen und Kränzen empfangen. Ludwig II. genügten jedoch die gemalten Blumen nicht. Wenn er sich in Herrenchiemsee aufhielt, mußten auf sein Geheiß »Tausende zu Bouquets gebundene Rosen und Lilien« Halle und Aufgang schmücken, die einen betäubenden Duft verbreitet haben sollen. Dergleichen pompöse Arrangements sind untrennbar mit dem Namen Makarts verbunden und der sehr sinnenfreudige Stil Makarts begegnet auch in den seitlich in die Wandfelder eingefügten Gemälden von Ludwig Lesker, die ›Wissenschaft und Kunst‹, ›Wehrstand und Nährstand‹ sowie ›Handel und Gewerbe‹ als die tragenden Kräfte der Nation an derselben Stelle allegorisieren, wo in der ›Escalier des Ambassadeurs‹ die Siege des Franzosenkönigs ihre Verherrlichung fanden.

Louise von Kobell beschrieb in ihrem Buch über die Kunst Ludwigs II. das Treppenhaus als »eine plastische und farbentönige Ouverture zu dem Prunke, der sich in den nun zu durchschreitenden Gemächern abspielt«. Aber da sie fürchtete, daß die Verherrlichung Ludwigs XIV. aus der deutsch-nationalen Sicht des Bismarckschen Kaiserreiches Anlaß zu politischen Fehldeutungen geben könnte, ermahnte sie den Leser zugleich, »vom deutschen Patriotismus« völlig »abstrahieren« zu müssen und alles »rein vom ästhetischen Standpunkt aus« zu betrachten.

Vom Treppenhaus gelangt man zunächst in den *Hartschiersaal,* in dem die Hellebarden der Leibwache der bayerischen Könige (Hartschiere) aufgestellt sind, während die Wandgemälde teilweise nach Versailler Originalen von den Feldzügen Ludwigs XIV. künden und Stelen mit Marmorbüsten dessen Marschälle – Condé, Turenne, Vauban und Villars – ehren.

Die Behandlung der in mehrfarbigen Stuckmarmor verkleideten Wände orientiert sich an der ›Salle des Gardes‹ in Versailles, doch ist die Ausstattung, die in vielem den Stil Louis Philippe verrät, wesentlich aufwendiger.

Dies gilt auch für das folgende *Erste Vorzimmer*, an dessen Wänden Szenen aus dem Hofleben und den Kriegszügen des Roi Soleil, teilweise in Kopien, geschildert werden. Das Deckengemälde mit dem ›Triumph des Bacchus und der Ceres‹ von Hauschild ist jedoch ebenso eine Zutat des 19. Jahrhunderts wie die Deckenmalerei des Hartschiersaals, die mit dem ›Triumph des Mars‹ die Kriegstaten Ludwigs XIV. unter ein mythologisches Leitmotiv stellt.

Das *Zweite Vorzimmer* ist der nach der ›Salle de l' oeil de boeuf‹ benannte Ochsenaugensaal, der seinen Namen dem in der Frieszone der Schmalseiten eingesetzten querovalen Fenster verdankt. Aber wieder bleibt das Versailler Vorbild an Größe und Reichtum der Ausstattung weit hinter der Nachbildung des 19. Jahrhunderts zurück, und es scheint, als habe Ludwig es in allem noch übertreffen wollen. Vier große Gemälde und die Bilder über den Türen repräsentieren Mitglieder der Familie des Roi Soleil, dem selbst mit einem kleinen Reiterdenkmal die Mitte des Raumes vorbehalten bleibt. Die Decke darüber schmückte Schwoiser mit einer Allegorie des aufgehenden Tages und der sinkenden Nacht, gleichsam als Vorbereitung auf das anstoßende *Paradeschlafzimmer* und das mit ihm verbundene Hofzeremoniell des ›Lever‹ und ›Coucher‹.

Seit seiner ersten Pariser Reise ließ Ludwig der Gedanke an das historisch so bedeutsame Paradezimmer in Versailles, in dem die wichtigsten politischen Entscheidungen gefällt wurden, nicht mehr los. Seine Nachahmung sollte sich jedoch nicht im bloßen Kopieren erschöpfen, sondern in der Folgezeit wurden Schritt für Schritt eine Reihe von Plänen erarbeitet, bis etwa im Jahre 1879 der endgültige Entwurf ausgereift war. Anregungen in Bezug auf die Maßverhältnisse vermittelten neben französischen Vorbildern die Schlafzimmer der Münchner Residenz und des Schleißheimer Schlosses, denn der König stellte sich das Herrenchiemseer Zimmer wesentlich größer vor. Auch die überaus prächtige Ausstattung, die den Raum des Inselschlosses zum kostbarsten Gemach seiner Zeit macht, übertrifft das sehr viel bescheidenere Original bei weitem, so als wäre es Ludwig II. nicht gut genug gewesen, um als Sinnbild des absoluten Königtums bestehen zu können.

Eine Bereicherung stellt auch das Deckengemälde dar, auf dem der im Kreis der olympischen Götter erscheinende Apoll mit Ludwig XIV. identifiziert wird, indem er dessen Züge trägt. Sehr ärgerlich reagierte der König, weil Schwoiser dem Apoll zuerst dessen eigene jugendlichen Züge verliehen hatte und forderte kategorisch: »Alles was Bayrisch ist, müsse in Chiemsee entfernt werden«, eine Verfügung, die sich auch auf bayerische Rauten oder

33 Herrenchiemsee, Beratungssaal

Hinter dem Schreibtisch das von Jules Jury nach Rigaud kopierte Bildnis Ludwigs XIV. Die Gemälde über den Türen künden von den diplomatischen Erfolgen des ›Sonnenkönigs‹.

33 Herrenchiemsee, Conference Room

Behind the writing-table a copy by Jules Jury of a portrait of Louis XIV after Rigaud. The paintings over the doors show the diplomatic successes of the "Sun King".

33 Herrenchiemsee: salle du conseil

Derrière le bureau, portrait de Louis XIV, copie par Jules Jury d'après Rigaud. Les peintures des dessus de portes proclament les succès d'ordre diplomatique du Roi-Soleil.

34 Herrenchiemsee, Große Spiegelgalerie

Eine weitgehend getreue Nachbildung der Versailler Spiegelgalerie – in der Beleuchtung von über 1800 Kerzen, die sich auf die 44 Standleuchter und 33 Deckenlüster verteilen.

34 Herrenchiemsee, Great Hall of Mirrors

A relatively exact replica of the Hall of Mirrors in Versailles – in the light of more than 1800 candles which are distributed among the 44 candelabras and 33 chandeliers.

34 Herrenchiemsee: grande galerie des glaces

Reproduction très fidèle de la grande galerie des glaces de Versailles; elle est illuminée par plus de 1800 bougies réparties sur 44 candélabres et 33 lustres.

Löwen bezog, die sich allenthalben in die Dekoration der Räume eingeschlichen hatten. An ihre Stelle traten bourbonische Lilien und das Sonnenemblem, das auch den Teppich der Stufen zum Bett verziert, der in der Herrschaftsfarbe Rot gehalten ist, wie auch die goldbestickten Paneele der Bettnische. Rot sind auch die Samtvorhänge des Bettes, und es ist bekannt, daß die Ateliers Jörres und Bornhauser sieben Jahre an ihren goldenen und silbernen Reliefstickereien und den von Hauschild entworfenen farbigen Nadelmalereien gearbeitet haben. Mit dem Mythos von Venus und Amor nehmen die Szenen das Thema des Versailler Bettes wieder auf.

Welche Bedeutung Ludwig II. diesem von Franz Seitz und Julius Hofmann entworfenen Prunkbett beimaß, kommt darin zum Ausdruck, daß seinem Werdegang »das ausführlichste und längste schriftliche Elaborat« zugrunde liegt, das überhaupt in den Akten zu finden ist. Unter anderem wird darin ein minutiöser Vergleich des neuen Bettes mit dem Versailler durchgeführt, zu dem es einleitend heißt: »Das neue Prachtbett auf Herrenchiemsee ist im Großen und Ganzen eine wundervolle Kopie des Versailler, ohne deshalb eine sklavische Nachahmung desselben zu sein.« Beispielhaft für die eigenen Wandlungen ist jedoch, daß sich Ludwig mit der Vollendung seines Wunschbildes keineswegs zufrieden geben konnte und die Szene der Baldachinrückwand mit der ›Beschneidung der Flügel Amors‹ zum Auswechseln gegen eine Art Andachtsbild herrichten ließ, das den noch jungen König Ludwig XIV. vor einem Betstuhl kniend in einer mystischen Krönungsszene mit der Muttergottes zeigt. Dazu gehört ein für den Baldachin vorgesehener Himmel aus blauer Seide mit goldgestickten Sternen, ähnlich dem Sternenhimmel in der Kuppel des Thronsaals von Neuschwanstein, wo der hier berührte Gedanke des Gottesgnadentums der Königswürde die konsequenteste Gestalt annahm.

Obwohl es eine ausgesprochene ›Salle du Conseil‹ in den Versailler Staatsappartements nicht gegeben hat, liegt dem Schlafzimmer benachbart ein *Beratungssaal*. In der Vorstellungswelt Ludwigs II., der sich selbst nur in den ersten Jahren seiner Regierungszeit mit den Ministern des Landes zu beraten pflegte, gehörte dieser unbedingt zum Raumkanon eines Barockschlosses. Die hohe Bestimmung des Saales, der mit seiner reichgeschnitzten weiß-goldenen Vertäfelung und den großen Kaminspiegeln eine freie Schöpfung Dollmanns ist, wird durch Schwoisers Deckengemälde, in dem der Götterbote Merkur den Menschen Rat und Hilfe bringt, ins Überzeitliche erhoben. Die vier Supraportengemälde hingegen preisen die diplomatischen Erfolge Ludwigs XIV., der in dem von Julius Jury nach Rigaud kopierten Bildnis präsent ist.

Parallel zum Paradeschlafzimmer mit seinem Vorzimmer und zum Beratungssaal erstreckt sich die vom König verlangte maßstabgetreue Kopie der großen *Spiegelgalerie* mit ihren beiden quadratischen Ecksälen, dem *Kriegssaal* und dem *Saal des Friedens*. Dollmann, der sich bei der Planung »ja keine eigenen Willkürlichkeiten zuschulden kommen lassen« durfte, hielt sich mit den hellgrau und grün verkleideten Wänden und den 17 Bogenfenstern, denen auf der Innenseite große Wandspiegel entsprechen, genau an das Vorbild. Der König mußte sich jedoch mit Stuckmarmor statt echtem zufriedengeben und auch die Trophäen auf dem Gesims wurden in Stuck ausgeführt anstelle vergoldeten Kupfers. Dafür ließ Ludwig aber den Rahmendekor der Deckenmalereien, der in Versailles ›nur‹ mit Goldfarbe aufgemalt ist, plastisch ausführen und überbot damit nicht nur die ›Galerie des glaces‹, sondern verfremdete sie gleichzeitig ins üppig Dekorative. Die zahlreichen Gemälde selbst, in denen sich die Geschichte Frankreichs vom Pyrenäischen Frieden bis zum Frieden von Nymwegen wiederspiegelt, mußten von einer ganzen Gruppe »gewissenhafter Maler« sogar in Versailles selbst kopiert werden, um den »Charakter der Originale genau zu treffen«. Geradezu untröstlich schien der König allerdings, als er nach ihrer Anbringung entdeckte, daß zwei der Bilder vertauscht worden waren: »Da nun aber bei zwei von den Bildern eine Verwechslung vorkam, so nehmen S. M. an, daß es bei mehreren der Fall sei, dies wären S. M. etwas schreckliches und könnten Allerhöchstdieselben nie verzeihen.« Als sehr störend empfand er auch den zu hellen, gelblichen Ton der Vergoldung, wie er überhaupt mit dem »Colorit« nicht ganz zufrieden war, das ihm »viel zu blaß« erschien. Nach seinen eigenen Äußerungen konnte er »die hellen Töne nicht ausstehen«. Da seine Besuche jedoch meistens in den Nachtstunden stattfanden, beruht der Eindruck sicherlich auch auf der Verfälschung der Farbwerte durch die Be-

35 Herrenchiemsee, Kriegssaal

Über dem Kamin ein ovales Stuckrelief mit Ludwig XIV. zu Pferd. Darunter gefesselte Sklaven in Bronzeguß. Die Gemälde der Bogenfelder und Deckenkuppel zeigen allegorische Darstellungen des Krieges.

35 Herrenchiemsee, Hall of War

Over the mantelpiece an oval stucco relief of Louis XIV on horseback. Below it chained slaves in cast bronze. The paintings in the lunettes and on the ceiling depict allegories of War.

35 Herrenchiemsee: salle de la guerre

Au-dessus de la cheminée, bas-relief ovale en stuc figurant Louis XIV à cheval; là-dessous, esclaves enchaînés en bronze coulé. Les peintures des lunettes et de la corniche représentent les allégories de la guerre.

36 Herrenchiemsee, Schlafzimmer des Königs

Im Vordergrund die blaue gläserne Kugelleuchte. Im Baldachin des Bettes mit den vollplastischen Figuren von Venus und Adonis in Nadelmalerei ›Ludwig XIV. als Triumphator über das Laster‹.

36 Herrenchiemsee, King's Bedchamber

In the foreground the blue glass globular lamp. Over the bed with its sculptured Venus and Adonis, the baldachin embroideries of "The Triumph of Louis XIV over Vice".

36 Herrenchiemsee: chambre à coucher du roi

Au premier plan, un globe de lampe en verre bleu. Au fond du baldaquin orné d'un haut-relief «Venus et Adonis», une broderie «Louis XIV triomphant du vice».

leuchtung von über 1800 Kerzen, die auch den versilberten Zinkguß der Ziervasen in echtes Silber verwandelt haben mag und den Talmiglanz der Baumkübel in echtes Gold. Zusammen mit den Kandelabern und den Imperatorenbüsten, die wie die Marmorstatuen in den Nischen Kopien nach antiken Originalen sind, wurden sie aufgestellt, um die Galerie, als den eigentlichen Festsaal des Königtums, in den durch Beschreibung und Stiche überlieferten Zustand ihrer größten Zeit zurückzuversetzen.

Nach dem offiziellen Charakter des Großen Appartements wirken die Räume, die Ludwig II. als Wohnung dienen sollten, ausgesprochen intim. Mit ihrer Ausstattung, die seit 1883 erfolgte, stehen sie ganz in der Tradition des für Linderhof entwickelten Rokokos und haben mit den entsprechenden Räumen Ludwigs XV. im Obergeschoß des Nordflügels von Versailles kaum mehr als die Lage gemein. Formale Anregungen vermittelten deutsche und französische Schloßbauten, aber daneben behaupten sich als unbestrittene Leistung Phantasie und Gestaltungskraft der entwerfenden Künstler, die wie in Linderhof zu mitunter völlig neuen und überraschenden Lösungen gefunden haben. Neben Hofmann und Dollmann müssen hier die Namen Franz P. Stulbergers und vor allem Eugen Drollingers genannt werden, auf den auch die späte Umgestaltung des Linderhofer Schlafzimmers zurückgeht.

Am Anfang steht das *Königliche Schlafzimmer*, das, im Gegensatz zu dem wesentlich größeren roten Paradeschlafzimmer wieder auf die Lieblingsfarbe Ludwigs gestimmt ist. Zu blauen Textilien aus Samt und Seide und einer lapislazulifarbenen Tischplatte verbreitet eine blaue Kugel auf vergoldetem Ständer ein gleichmäßig blaues Licht, um dessen Intensität sich der Illuminator der Blauen Grotte von Linderhof angeblich eineinhalb Jahre bemüht haben soll, bis der König zufriedengestellt war.

Daß das anschließende weiß-rosa-goldene *Ankleidekabinett* als einziger Raum des Schlosses im Stil Louis seize gestaltet wurde, erklärte seine Bedeutung als Gedenkraum für Königin Marie-Antoinette, die Ludwig wie eine Heilige, die den Märtyrertod erlitten hat, verehrte. Eine Marmorbüste von ihr schmückt auch sein Schlafzimmer, während sich die bildlichen Darstellungen, wie auch in den anderen Räumen auf Ludwig XV. beziehen. Das Sonnenzeichen Ludwigs XIV. wiederum erstrahlt an der Rückwand des mit vollplastischen Figuren von Venus und Adonis und anderen erotischen Motiven verzierten Bettes, das im Zusammenhang mit der heroischen Gestalt des Roi Soleil als ›Triumphator über alle Laster‹ auf dem großen gestickten Bild des Hintergrunds beinahe frivol anmuten will. Die Ikonographie des Bettes wird aus der Tradition verständlich (vergleiche das Paradeschlafzimmer), während die Thematik des Nadelgemäldes in Verbindung mit der Taube des Heiligen Geistes im Baldachin an das Ringen Ludwigs II. um Vergeistigung und Erlösung von Sünden gemahnt, unerläßliche Voraussetzungen, um sich des hohen und heiligen Amtes als König würdig zu erweisen. Die Decke ist – nach dem schon für Linderhof maßgeblichen Wahlspruch, daß alles, was mit Liebe zu tun habe, im Schlafzimmer Platz finden müsse – Liebespaaren aus der antiken Götterwelt vorbehalten.

Doch mythologische Liebespaare, die in Relief und Vollplastik die Deckenzone beherrschen, verbreiten auch im benachbarten *Arbeitszimmer* eine erotisierende Atmosphäre, die von den miniaturhaften Schilderungen der Schlachten Ludwigs XV. in den Supraportengemälden nicht beeinträchtigt wird. Unter den Möbeln ist die Nachbildung des berühmten Rollschreibtisches Ludwigs XV. besonders bemerkenswert. Das von den beiden größten französischen Hofebenisten deutscher Abstammung, Oeben und Riesener, geschaffene Original dieses ›Bureau du Roi‹, das 1884 für den König in Paris nachgearbeitet wurde, befindet sich heute im Louvre.

Die drei Uhren im Raum – zwei große, ebenso komplizierte wie wertvolle astronomische Standuhren, von Carl Schweizer in München nach Vorbildern in Versailles gefertigt, und eine kleinere ›Elefantenuhr‹ aus Silber und vergoldeter Bronze – erinnern daran, daß Ludwig II. Uhren sehr geliebt hat. Durch eine genaue Zeiteinteilung des Tagesablaufs versuchte er seiner Einsamkeit Herr zu werden; aber Uhren waren ihm bei seiner Lebensweise, die häufig die Nacht zum Tage machte und den Tag zur Nacht, geradezu unentbehrlich, um nicht allmählich ganz das Gefühl für Zeit zu verlieren, die durch die ständige Vergegenwärtigung von Geschichte und Historisierung der Gegenwart sowieso längst relativ für ihn geworden war.

Als die originellsten Räume des Appartements gelten das ovale *Porzellankabinett*, der *Hellblaue Salon* und der im Erdgeschoß neben dem Bad gele-

37 Herrenchiemsee, Blauer Salon

Ebenso wie das Ankleidezimmer als Spiegelkabinett ausgestattet. Auf dem Kamin aus Meißener Porzellan die Marmorgruppe ›Zeus und Ganymed‹.

37 Herrenchiemsee, Blue Salon

Fitted as a mirror cabinet like the Dressing Room (Rose Salon). On the mantelpiece a marble group of Meissen porcelain "Zeus and Ganymed".

37 Herrenchiemsee: salon bleu

Comme le cabinet de toilette, c'est un cabinet des miroirs. Sur la cheminée en porcelaine de Meissen, statue en marbre «Zeus et Ganymède».

38 Herrenchiemsee, Porzellankabinett

Ursprünglich sollten alle Füllungen der Vertäfelung mit bemalten Porzellanplatten geschmückt werden. Türfüllungen mit Allegorien der Wissenschaften und Künste.

38 Herrenchiemsee, Porcelain Cabinet

Originally all the panels were to be filled with painted porcelain plaques. Door panels with allegories of the Arts and Sciences.

38 Herrenchiemsee: cabinet de porcelaine

D'abord, les lambris devaient être entièrement ornés de panneaux de porcelaine peinte. Sur les vantaux des portes, allégories des sciences et des arts.

gene *Rosa Salon*. Bei den beiden letzteren handelt es sich um Spiegelkabinette, eine Raumschöpfung des Rokoko, die vor allem im Süddeutschland des 18. Jahrhunderts weit verbreitet war. In der Münchner Residenz gab es gleich zwei solcher verspiegelter Kabinette, die Ludwig zweifellos gut gekannt und geschätzt hat, denn eines der beiden diente bereits bei der Planung des Linderhofer Spiegelzimmers »auf Allerhöchsten Wunsch« als Muster.

Doch während die in kleine Felder geteilten Spiegel des Rokoko Umwelt und Gegenstände in grotesker Verzerrung wiedergeben und damit ihre Gestalt in Frage stellen, vervielfältigen die modernen großflächigen Spiegel mit ihrem Planschliff das vordergründige Abbild mit photographischer Genauigkeit und potenzieren die undurchdringliche Fülle der zu Zierrat verarbeiteten Materie, die sich wegen der Maßlosigkeit, mit der sie herbeizitiert wurde, durch einen Spuk zu rächen scheint. Im Rosa Salon verwandeln sich Laubwerk und Blumengehänge mit metallisch irisierenden Vögeln in eine endlose Folge von Laubengängen, die überall gleich aussehen und somit zu einem ausweglosen Irrgarten werden. Wie bei einem Echo kommt aus den Spiegeln nur zurück, was hineingeblendet wurde. Die Raumgrenzen scheinen aufgelöst, doch das Gefühl der Transzendenz will sich nicht einstellen. Man bleibt gefangen.

Im Porzellankabinett sollten ursprünglich alle Füllungen der Vertäfelung mit bemalten Porzellanplatten geschmückt werden, ein Plan, der nur in der Anbringung von Porzellangemälden in und über den Türen zur Ausführung kam. Sie allein rechtfertigen die Bezeichnung des Raumes heute freilich nicht: auch Leuchter und Lüster sind aus Porzellan gebildet, Meißener Vasen schmükken die Konsoltische und die Porzellanmanufaktur Meißen lieferte auch die mit Musen bemalte Platte des Rosenholzschreibtisches und die zahlreichen kleinen Medaillons mit spielenden Amoretten, die in seine Seiten eingelassen sind. Zarte Spitzengardinen vor den Fenstern, die überall in der Königswohnung angebracht waren, betonen die intime Stimmung des Gemachs.

Etwas Intimes eignet auch dem ovalen Grundriß des Raumes. Die besondere Vorliebe des Königs für die Ovalform zeigte sich schon in Arbeits- und Speisezimmer in Linderhof und wiederholt sich nun auch im hiesigen Speisezimmer. Vorbild war ein Saal im Pariser Hôtel de Soubise, auf den auch die symmetrisch angeordneten Rundbogen für Fenster, Türen und Kamin zurückgehen. Prunkstück der Einrichtung ist der 18armige Meißener Porzellanlüster mit 108 Kerzen, von dem alle Modelle vernichtet werden mußten, um seine Nachbildung zu verhindern. Darunter steht ein ›Tischlein-deck-dich‹, wie es schon in Linderhof begegnete, und hier wie dort dem König ungestörte Mahlzeiten ermöglichte. Stets geladene ›Gäste‹ waren freilich die Maintenon und die Dubarry, die Lavallière und die Pompadour, die sich aus den bekannten Pastellbildnissen der Hufeisenkabinette in Linderhof in hoheitsvolle Marmorbüsten verwandelt haben.

Eine *Kleine Galerie* schließt, wie ehemals die Enfilade Ludwigs XV. in Versailles, die Zimmerflucht des Kleinen Appartements, das ebensowenig wie das Große Appartement und der gesamte Schloßbau an den Maßstäben des 18. Jahrhunderts gemessen werden will, sondern verständlich nur aus dem Geist seiner eigenen Zeit wird.

39 Herrenchiemsee, Kleine Galerie

Schließt die Flucht der königlichen Wohnräume ab, wie in Versailles die ›Petite Galerie‹ die Enfilade Ludwigs XV. Wie die Große Galerie ist sie mit quadratischen Eckräumen verbunden.

39 Herrenchiemsee, Small Gallery

This terminates the suite of private apartments of the King as the "Petite Galerie" does those of Louis XV in Versailles. Like the Great Hall of Mirrors it is adjoined by square corner rooms.

39 Herrenchiemsee: petite galerie

Elle achève l'enfilade des appartements royaux, de même qu'à Versailles la petite galerie termine l'enfilade de Louis XV. Comme la grande galerie, elle est reliée à deux pièces d'angle carrées.

Die Gartenanlagen

Ludwigs Bild von Versailles wäre nicht vollständig ohne die das Schloß umgebenden Gartenanlagen, die er auf ausgedehnten Spaziergängen kennengelernt hatte. Ihre Nachbildung in Herrenchiemsee, mit der Hofgartenbaudirektor Carl von Effner beauftragt wurde, kann jedoch ebensowenig als reine Kopie bezeichnet werden wie der gesamte Schloßbau.

Die Abweichungen erklären sich unter anderem einmal aus dem Wunsch des Königs, den ursprünglichen Zustand des Gartens – also denjenigen unter Ludwig XIV. – wiederherstellen zu lassen und zum anderen aus der geforderten Anpassung der Versailler Situation an die Gegebenheiten der Insel. Dabei spielte das eigene schöpferische Vermögen Effners, der seine Meisterschaft bereits in Linderhof unter Beweis gestellt hatte, eine bedeutende Rolle. Von der modernen englischen Theorie des Landschaftsgartens ausgehend, sah er seine Aufgabe vor allem darin, eine harmonische Verbindung zwischen Architektur und Natur zu schaffen. Im Gegensatz zu Versailles sollte das neue Schloß auf allen vier Seiten von Gartenanlagen in streng geometrischem

40 Herrenchiemsee, Ankleidezimmer

Im Erdgeschoß neben dem Bad gelegen. Auch Rosa Salon genannt. An der Decke und über den Türen Gemälde nach Boucher.

40 Herrenchiemsee, Dressing Room

On the ground floor next to the Bathroom. Also called the Rose Salon. On the ceiling and over the door paintings after Boucher.

40 Herrenchiemsee: cabinet de toilette

Situé au rez-de-chaussée près de la salle de bain. On l'apelle aussi salon rose. Au plafond et au-dessus des portes, peintures d'après Boucher.

Stil umgeben werden, die das Prinzip der klaren, symmetrischen Baugestaltung wiederaufnehmen und über Baumgärten, sogenannte Bosketts, allmählich in die Freiheit des von allen Seiten hereinschauenden Naturparks ausklingen lassen. Die Bewußtmachung der Insellage wollte er durch die Verlängerung der beiden sich auf der Höhe des Schlosses rechtwinklig schneidenden Hauptachsen bis hin zu den Ufern des Sees erreichen.

Jedoch nur eine dieser Achsen, die Ost-West-Achse, konnte ausgeführt werden und auch sie bloß in den Grundzügen. Auf der Ostseite stellt sie sich als eine doppelt geführte Lindenallee dar, die ein ehemals geplantes Landungsrondell mit dem Marmorhof verbinden sollte. Von den zu beiden Seiten projektierten Anlagen der Westseite wurde lediglich der Mittelstreifen mit dem Hauptparterre in reduzierter Form fertiggestellt.

Den oberen Teil des Parterres beherrschen nach dem Vorbild des Versailler ›Plateau d' eau‹ zwei große Bassins, die heute bedauerlicherweise nicht mehr mit Wasser gefüllt sind. Ihren Rand säumen auch hier die Allegorien französischer Flüsse von Legros und Lehongre, die Rudolf Maison 1884 kopierte. Die mittleren Felsengruppen mit den bekrönenden Figuren der ›Fama‹ im Norden und einer ›Flora‹ im Süden sind eine Hinzufügung, die zeigt, daß Ludwig auch im Bereich der Gartengestaltung das Vorbild durch fremde Errungenschaften – hier aus San Ildefonso in Spanien – zu bereichern liebte.

Wie in Versailles führt eine breite Mitteltreppe zu einem niedriger gelegenen Plateau mit einem Latona-Brunnen, der wie die beiden Bassins nach dem Tode des Königs trockengelegt worden war, aber seit einigen Jahren seine Funktion wieder erfüllt. Aus den weitaufgerissenen Mäulern der zu Fröschen verwandelten Bauern ergießt sich das Wasser im hohen Bogen auf die drei Stufen des Brunnens, den Johann Hautmann wie die Statue der Latona in seiner erhöhten Mitte in Marmor nachgebildet hat.

In Richtung Westen kennzeichnet den Verlauf der Mittelachse ein breiter Rasenstreifen, ›tapis vert‹ genannt, der sich bis zu einem heute nur noch in den Umrissen erkennbaren Apollo-Bassin hinzieht. Ungehindert gleitet der Blick darüber hinweg, angezogen von dem ruhigen, dunklen Wasserspiegel des Kanals, der in der Ferne »wie in einem Alptraum«, der um Raum und Zeit nicht weiß, in die weite Fläche des Sees ausläuft.

Linderhof

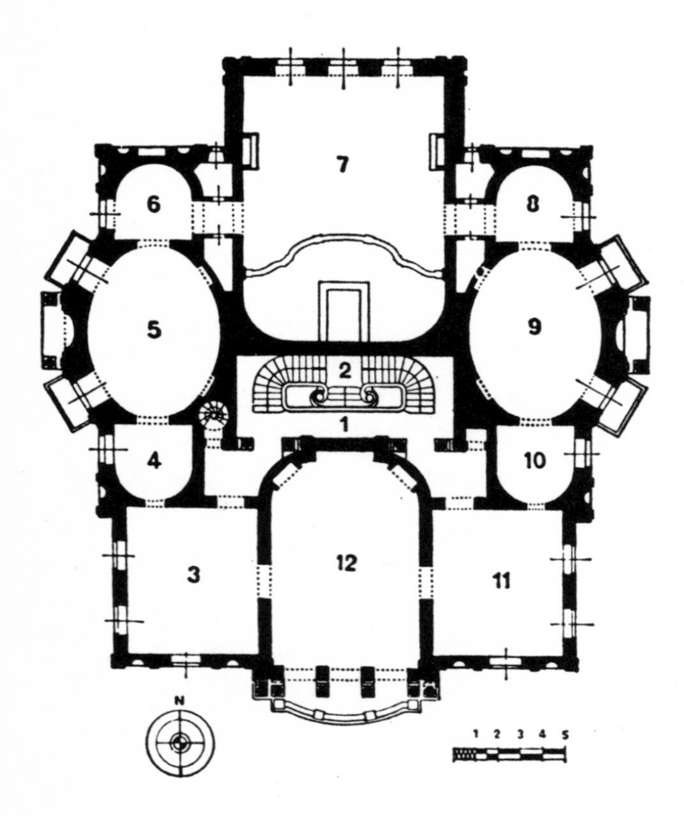

Grundriß des Hauptgeschosses

1 Vestibül
2 Treppenhaus
3 Westliches Gobelinzimmer
4 Gelbes Kabinett
5 Audienzzimmer
6 Lila Kabinett
7 Schlafzimmer
8 Rosa Kabinett
9 Speisezimmer
10 Blaues Kabinett
11 Östliches Gobelinzimmer
12 Spiegelsaal

Herrenchiemsee

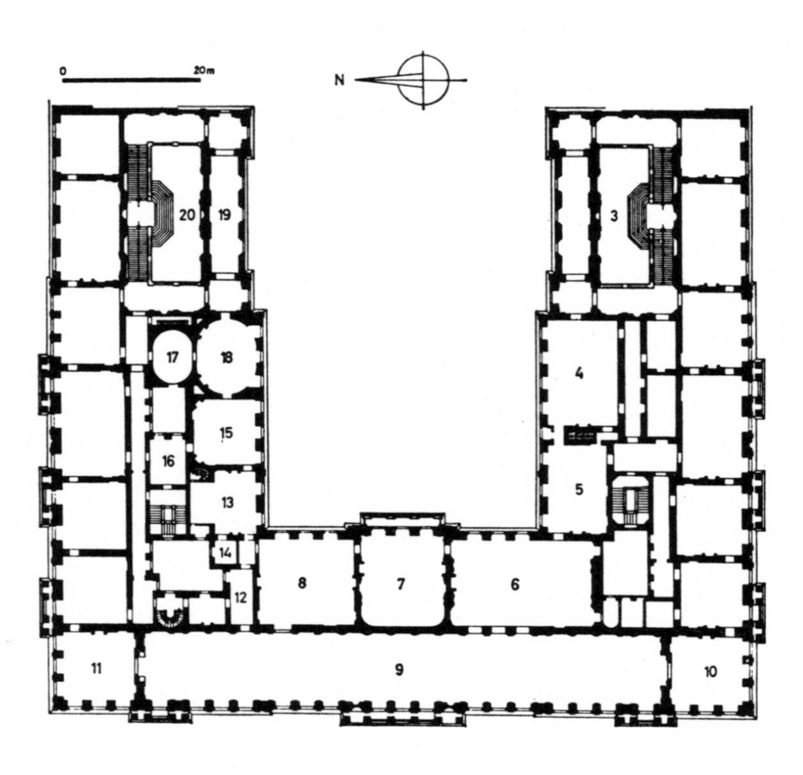

Grundriß des Schlosses, Obergeschoß

3 Prunktreppe
4 Hartschiersaal
5 Erstes Vorzimmer
6 Zweites Vorzimmer
7 Paradeschlafzimmer
8 Beratungssaal
9 Große Spiegelgalerie
10 Friedenssaal
11 Kriegssaal
12 Durchgangsraum
13 Schlafzimmer
14 Kabinett
15 Arbeitszimmer
16 Blauer Salon
17 Porzellankabinett
18 Speisezimmer
19 Kleine Galerie
20 Nördliches Treppenhaus

Neuschwanstein

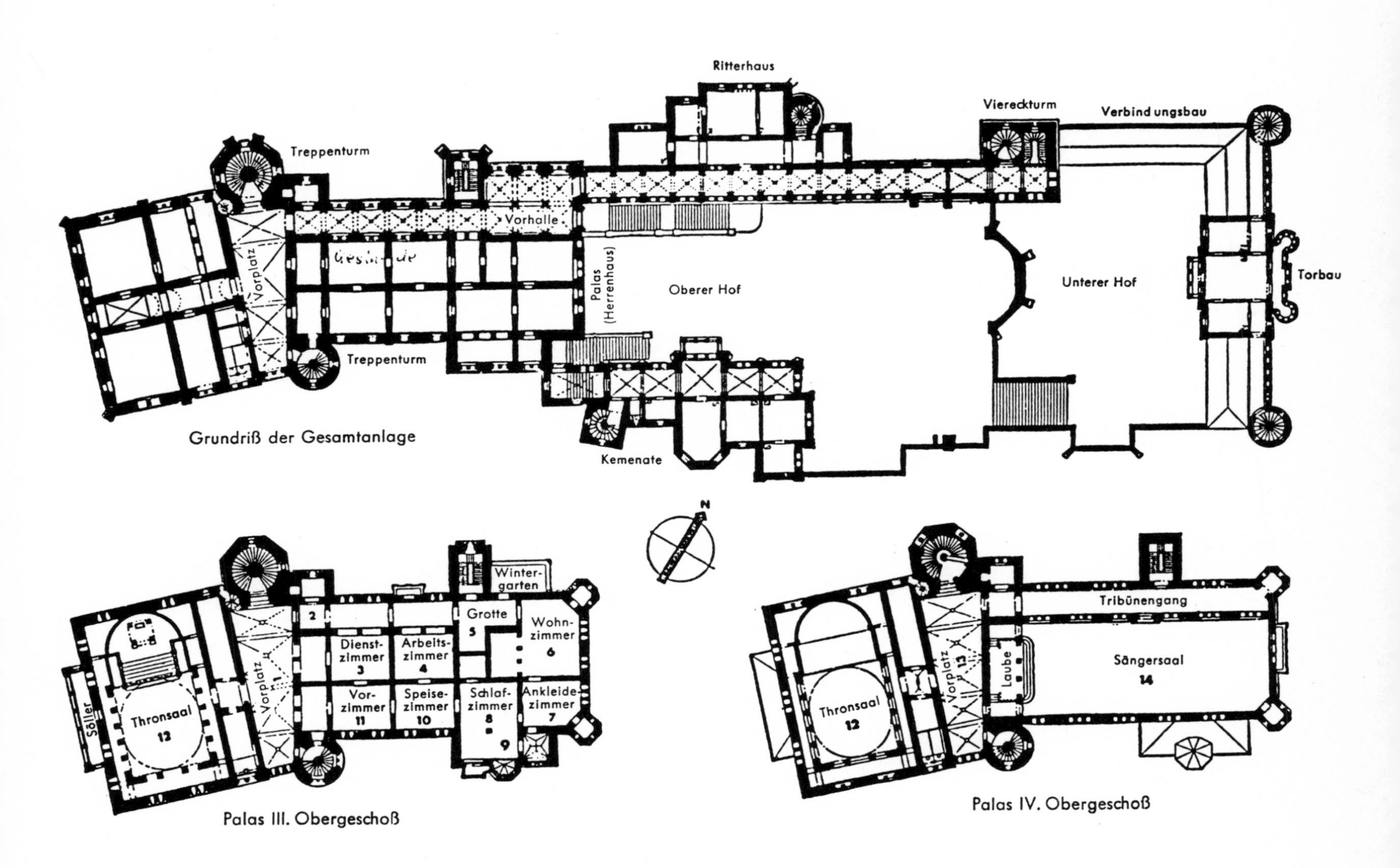

Grundriß der Gesamtanlage

Palas III. Obergeschoß

Palas IV. Obergeschoß

Literaturverzeichnis

Bachmayer, Monika, Schloß Linderhof, Architektur, Interieur und Ambiente einer königlichen Villa, ungedruckte Diss. München 1973.

Böhm, Gottfried, Ludwig II. von Bayern, Sein Leben und seine Zeit, Berlin 1922.

Doeberl, Michael, Entwicklungsgeschichte Bayerns, Bd. III, hg. von Max Spindler, München 1931.

Evers, Hans Gerhard, Herrenchiemsee, in: Tod, Macht und Raum, München 1939.

Grein, Edir, (Hg.), Tagebuchaufzeichnungen von Ludwig II., König von Bayern, Schaan/Liechtenstein 1925.

Hacker, Rupert, Ludwig II. von Bayern in Augenzeugenberichten, Düsseldorf 1966.

Holland, Hyazinth, Lebenserinnerungen eines neunzigjährigen Altmüncheners, hg. von A. Dreyer, München 1920.

Hommel, Kurt, Die Separatvorstellungen vor König Ludwig II. von Bayern, München 1963.

Knopp, Norbert, Gestalt und Sinn der Schlösser Ludwigs II., in: Argo, Festschrift für Kurt Badt, Köln 1970.

Kobell, Louise von, König Ludwig II. von Bayern und die Kunst, München 1898.

Kreisel, Heinrich, Die Schlösser Ludwigs II. von Bayern, Darmstadt 1955.

—, Ludwig II. als Bauherr, in: Oberbayerisches Archiv, Bd. 87, München 1965.

Pecht, Friedrich, Geschichte der Münchener Kunst, München 1888.

Petzet, Michael, Katalog der Ausstellung ›Ludwig II. und die Kunst‹, München 1968.

—, L'architecture comme décor du théatre dans l'art de Louis II., Roi de Bavière, in: Gazette des Beaux Art, Oktober 1970.

Rall, Hans, Das Altarsakrament im Schicksal König Ludwigs II. von Bayern, in: Festgabe des Vereins für Diözesangeschichte von München und Freising zum Münchner Eucharistischen Weltkongreß, hg. von A. W. Ziegler, München 1960.

—, König Ludwig II. von Bayern, in: Bayerland, 68. Jg., München Januar 1966.

—, Bayern und die Entscheidung des Jahres 1866, in: Bayerische Verwaltungsblätter, München 1966.

Rall, H. u. Petzet, M., König Ludwig II., München 1968.

Röckl, Sebastian, Ludwig II. und Richard Wagner, erster Teil, Die Jahre 1864 und 1865, 2. Auflage, München 1913. Zweiter Teil, Die Jahre 1866-1883, München 1920.

Russ, Sigrid, Die Ikonographie der Wandmalereien in Schloß Neuschwanstein, Diss. Heidelberg 1974.

Strobel, Otto, König Ludwig II. und Richard Wagner, Briefwechsel in 5 Bdn., Karlsruhe 1936-39.

Tschoeke, Jutta, Neuschwanstein, Planungs- und Baugeschichte eines königlichen Burgbaus im ausgehenden 19. Jahrhundert, ungedruckte Diss. München 1975.

Zweig, Marianne, Zweites Rokoko, Wien 1924.

Amtliche Führer der Schlösser Linderhof, Neuschwanstein und Herrenchiemsee.

Archivalien aus dem Geheimen Hausarchiv München.

Verzeichnis der Künstler und Handwerker

Aigner, Joseph 64, 71

Bechler, Theobald 23
Benczur, Julius 91
Bornhäuser (Atelier) 91, 99

Dehn, Georg 63
Diebisch, Karl von 45
Dirigl, August 46, 71
Dollmann, Georg 16, 19f., 27f., 31f., 45, 59f., 80, 83f., 87, 92, 100f.
Drollinger, Eugen 38, 78, 103

Echter, Michael 73
Effner, Carl von 42f., 108

Fortner, Franz 91
Fries, Bernhard 36

Gräfle, Albert 37

Halbreiter, Adolf 38
Hauschild, Wilhelm 35, 41, 64, 68, 72, 75, 77, 91, 95, 99
Hautmann, Johann 44, 111
Heckel, August 40, 72
Herwegen, Peter 73
Hofmann, Julius 38, 60f., 73, 75, 77, 87, 91, 99, 103
Holland, Hyazinth 77

Ille, Eduard 64, 73, 77

Jank, Christian 37, 45, 52, 63, 75, 84
Jörres (Atelier) 68, 91, 99
Jury, Julius 100

Knab, Ferdinand 37

Lesker, Ludwig 91, 95

Maison, Rudolf 111
Moradelli, Karl 68

Paix, Joseph de la 41
Pechmann, Heinrich von 35, 63
Perron, Philipp 23, 36, 91
Piloty, Ferdinand von 64, 72, 74, 91
Pössenbacher, Anton 73

Quaglio, Angelo 38

Riedel, Eduard 52, 56, 77

Schweizer, Carl 104
Schwoiser, Eduard 40, 42, 91, 96, 100
Seder, Adolf 28, 36
Seitz, Franz 28, 38, 91, 99
Spieß, August 39, 64, 73, 76, 91
Steinmetz (Atelier) 68
Stulberger, Franz P. 91, 103

Wagmüller, Michael 44
Walker, Franz 23
Watter, Joseph 37
Welter, Michael 63
Widnmann, Franz 42, 87
Wollenweber, Eduard 68

Zimmermann, Reinhard Seb. 31, 37

English summary

Ludwig II.

Ludwig was born on Aug 25th 1845 in Nymphenburg as the son of King Maximilian II and Princess Marie of Prussia. His grandfather, Ludwig I, who abdicated in 1848, had the same name as his grandson and became his godfather. Ludwig and his brother Otto, who was three years younger, were brought up strictly and had no close contact to their parents. After the sudden death of Maximilian II in 1864, the eighteen-year-old Ludwig ascendend to the throne. In the war of 1866 between Prussia and Austria, Bavaria took sides with the latter; Ludwig's cousin Elisabeth was Empress of Austria. Bavaria had to submit to the military superiority of Prussia and took part on her side in the Franco-German war of 1870/71.

The Prussian Prime Minister, Bismarck, allowed Bavaria a certain amount of independence after the Peace Treaty, but in return the Bavarian king reluctantly had to request King Wilhelm of Prussia to take the German Imperial Crown.

After these political and also private disappointments the King withdrew more and more into the solitude of the mountains. In addition to his love of Richard Wagner's romantic operas, building became his passion. The castles of Neuschwanstein, Linderhof and Herrenchiemsee swallowed ever greater sums of money which no-one was willing to provide any longer. Ludwig would have liked to rule as an absolute sovereign and not as a constitutional monarch with limited freedom. He became increasingly inaccessible for State affairs and invisible to his subjects. Eventually in 1886 as the result of a rather controversial testimony he was found to be incurably insane (as his brother Otto in fact was). He was taken to Schloß Berg (a royal residence) where on June 13th 1886 he met his death in Lake Starnberg in circumstances which were never solved. His uncle, Prince Luitpold, represented the monarchy in Bavaria as regent until the death of Ludwig's brother Otto.

Linderhof Palace and its park

Political and private disappointments during the first years of his reign caused King Ludwig II to make a refuge for himself in his beloved mountains, far away from "Munich, inhabited with such indescribable reluctance". His choice fell on the solitary Graswang valley where his father had already possessed a hunting-lodge.

His admiration for the former French dynasty of Bourbon and a visit to Paris in 1867 caused him to dream of a "second Versailles" for himself. This was later to be realised in Herrenchiemsee, but, in a more modest proportion, the interior of Linderhof Palace already shows a revival of the splendour of the Paris-inspired Rococo.

Georg Dollmann, a pupil of the architect Leo von Klenze, drew up the plans for this little palace from 1868 onwards. At first the existing hunting-lodge was merely enlarged; it was completed by 1872. After 1874 Linderhof acquired its present appearance. The old wooden house was pulled down and the building was extended into a "Royal Villa". A south wing and vestibule with three rooms above were added to the existing part with the Bedchamber, and a staircase was erected in the former courtyard. By 1878 the work was completed.

The southern elevation is the most splendid façade of the two-storied palace, and at the same time the entrance. At the King's request the exterior was also kept in rococo style. The result of the well-trained historicist architect Dollmann is an eclecticism wholly bound to the C19 with elements from the styles of Louis XIII to Louis XVI, and reminiscent in its general conception of the Zwinger in Dresden and the Residence in Würzburg.

The interior is completely in the style of the C18. With the creation of these rooms, which were based on French examples but also contained much of local tradition, Ludwig II brought into being a new centre of the fashionable "Neo-rococo" after Paris and Vienna. Typical is an over-exaggerated trend to the ostentatious and the sumptuous. Georg Dollmann was also responsible for the interior decoration. However the King himself had very exact ideas on how each detail should look and frequently made corrections in the designs.

In spite of the step-by-step development of the overall planning the architect succeeded in creating an aesthetically pleasing and at the same time completely symmetrical lay-out from the multiplicity of individual structures and their relationship.

The vestibule is entered by the south portal with its three large arches, then comes an anteroom and the staircase. These rooms are comparatively simple; only in the upper storey does an overwhelming abundance of decoration spread itself unboundlessly.

Through the West Gobelin Room with its painted imitation gobelins and colourful Sèvres porcelain peacock – next to the swan the King's favourite animal – one enters the left suite of apartments. Symmetrically arranged the Yellow Cabinet, the oval Presence Chamber with its huge throne and baldachin and the Lilac Cabinet lead to the main room of the palace: the Bedchamber. With a view of the cascade which flows down from the mountain behind the palace, this room displays extravagant splendour. The present decoration dates back to the alterations after 1884 designed by the painter and architect Eugen Drollinger. On the other side the Rose Cabinet, the oval Dining Room with its famous "Tischlein-deck-dich" – little table, serve dinner – (the King was able to eat undisturbed without attendants) and the Blue Cabinet lead to the counterpart of the first Gobelin Room. Between these two lies the Hall of Mirrors above the entrance, correlative of the Bedchamber. It was designed by Joseph de la Paix, the stage-designer. This is the most magnificient room of the palace. The motif which is so characteristic of German baroque palaces is here intensified into nothing short of the fantastic.

Carl von Effner planned the park around Linderhof Palace. He proceeded from the theory valid at that time of the "architecturally designed landscape garden": in the proximity of the house strictly axial and stylised, further away creating as far as possible a natural but picturesque transition to the mountainous scenery round about.

To the north-east of the palace the Moorish Kiosk, purchased in 1876, was erected. The iron construction of this pavillion conceals in its interior the peacock throne and the whole magic of the orient; in its alpine surroundings it sets an incredibly exotic note. In addition hidden within the park is the "Venusgrotto", an imitation of the setting of the first act of Richard Wagner's "Tannhäuser". The grotto can be illuminated in various colours, also in the blue of the famous grotto on Capri. The King loved to be rowed in a shell-shaped boat at night on the moving water of this fantastic cave in order to take refuge in a dream-world.

Neuschwanstein Castle

On May 13th 1868 King Ludwig II wrote to Richard Wagner that he intended to have the ancient castle-ruin of Hohenschwangau rebuilt in the style of the old German Knight's castle.
Already in 1832 his father, Maximilian II, had rebuilt the neighbouring castle-ruin of Schwanstein and had often lived there with his familiy. Hohenschwangau, as this castle was called,with its fairy-tale setting and murals from the realm of German legend made a lasting impression on the growing Ludwig. Now king himself, he wished – no longer disturbed by his mother – to create a new paradise with reminiscences of the beloved operas Tannhäuser and Lohengrin. A visit to the Wartburg (a castle near Eisenach) in 1867 and the new production of both operas had given the last incentive.

The "New Castle of Hohenschwangau", which was only given the name of Neuschwanstein after the King's death, was also at first conceived as a reconstruction. The Royal Director of building, Eduard Riedel, and the stage-designer Christian Jank were commissioned to plan Neuschwanstein. Already in the summer of 1868 the plans for a vast new building with gatehouse, ladies' bower, knight's house, Palas (Great House) and keep were submitted in romanesque style as the King desired, "like they built their castles in the olden days". The preliminary work began in 1868, and in 1869 the foundation stone was laid. First the gatehouse was commenced since the King wished to live in it as soon as possible so that he could watch the progress of building. In spite of this it was not however completed until 1873.

From January 1872 the supervision of building was in the hands of Georg Dollmann, who at the same time was building Linderhof Palace. The work progressed slowly mainly because of continual financial difficulties. Only in 1880 was the skeleton of the Palas finished, which rose above the upper courtyard with its narrow six-storied façade, and today contains the most important furnished rooms.

In addition before Ludwig's death the brickwork of the corridor between the gatehouse and the Palas had been built. All the other parts were completed in a simpler manner later in order to give the visitors who were admitted soon afterwards the picture of a compact lay-out.

Up to the death of Ludwig the interior of the Palas had been completed in the third and fourth stories with the King's Appartement, Throne Room and Singer's Hall as the most important rooms. The complete "romanesque" interior decoration is the work of Julius Hofmann who had already worked for Archduke Maximilian in Miramare Palace near Triest. Only the Bedchamber was furnished in the originally planned late-gothic style. The content of the murals was compiled by the Munich art- and literary-historian Hyazinth Holland. Epics, sagas, legends, German folktales and myths from ancient Germanic times were used as a basis. In the King's Appartement however themes from the realm of Wagner's operas were chosen almost exclusively. The realisation, which often had to be speeded up by night-work and the use of assistants, lay in the hands of comparatively unknown artists who had mostly graduated from the Munich Academy. The King did not value distinctive artistic personalities with their own style as much as exactness of detail and "historical truth".

The rooms of the King's Appartement in the east part of the third floor are arranged side by side in two rows. Two narrow anterooms separate the Appartement from the hallway. The visitor then passes through the Adjutant's Room and the Writing Room, both sub-divided by arches into a kind of vestibule and the actual room. Heavy panelling, murals of the Tannhäuser saga, richly-embroidered fabrics and a precious cupboard are the main features of the Writing Room. Adjoining it is a small artificial grotto, which again alludes to the Venusberg in Tannhäuser, and also a conservatory. The Living Room has an oriel and a recess with seats. Here scenes from the Lohengrin saga are portrayed. A Dressing Room with pastoral pictures from the life and poetry of Walther von der Vogelweide and of Hans Sachs leads to the once again most sumptuous room of the Appartement: the Bedchamber. A forest of late-gothic carved pinnacles rises above the bed. A reading chair and a washstand complete the furnishing, and scenes from Tristan and Isolde decorate the walls. From here one can enter the small private chapel; there is also a bay-window and a balcony overlooking the Pöllat gorge. The last private room is the Dining Room with red furnishings, painted with episodes from the lives of the minnesingers in the Wartburg, before a further anteroom and passage lead back to the hallway.

A spiral staircase culminating in a fantastic palm-tree under a star-studded night sky leads to the fourth storey. Here the Singer's Hall awaits the visitor, inspired by the historic room in the Wartburg. A design of the theatrical painter Christian Jank and plans by Julius Hofmann from 1882/83 determine its appearance. The Tannhäuser image and the Grail myth wove their spells over the King who was completely entangled in these ideas.

On the other hand his belief in "King by the Grace of God" found its expression in the Throne Room. Kept completely in Byzantine style, this sumptuous hall, begun in 1884, became the symbol of his function as ruler, which he wished to see in the tradition of the great law-givers of the world. The hall was never finished.

Herrenchiemsee Palace

The building of the island-palace of Herrenchiemsee, which is supposed according to Ludwig's ideas to represent "Versailles in all its glory", is the most impressive witness to his admiration and idealisation of the Bourbon kings and the absolutism which they represented. Already in 1868 the firm decision was made to erect it for himself. At first however this plan was put aside in favour of building the "Royal Villa" of Linderhof. Ludwig himself undertook exhaustive research into the lives and palaces of the French kings. Each detail interested him, and he continually made corrections in the plans.

The ideal site presented itself in 1873 when the Chiemsee island was put up for sale. Although Ludwig did not particularly care for the flat Chiemgau countryside, he was enticed by the solitude and seclusion of a private island.

Georg Dollmann also drew up the plans of this palace, but not before May 21st 1878 could the foundation stone be laid and the work begin.

The palace was no exact copy of Versailles, since the King was not in the least interested either in the earlier parts of that building erected by several generations or the rest of the rooms other than the "Grands appartements". It was the Bedchamber as always, in the centre of the absolutistic palace, which was dearest to his heart. Already in 1875; three years before any building began, he gave an order for the enormous Bed-of-State to be made. Then in addition there was the Hall of Mirrors; both these rooms were for Ludwig II inseparably bound with the image of Versailles.

The west side of the palace shows the most similarity to its famous model, a more or less exact copy of the well-known garden façade at Versailles by Jules Hardouin Mansart. The northern side-wing was dismantled in 1907, and the southern side-wing existed only in its foundations when orders were given for the building to be stopped in 1885.

In 1884 Dollmann fell into disgrace, and Julius Hofmann became the new Royal Director of building in his stead. He played an influential part in the interior design of Herrenchiemsee which was begun in 1879. Only the State Appartement, in which the King never intended to live, and his own private chambers were finished. Artists and artisans were mostly the same as in Linderhof. The building as a whole cost 16,579,674 marks.

The official ascent to the main floor is by way of the State Staircase, finished in 1884. It was a copy of the Ambassadors' staircase in Versailles, which was demolished to make way for the private chambers of Louis XV in 1752. However the glaring white stucco figures and in particular the glass roof give the staircase a very definite C19 flavour.

Through the King's Guard Room and the two antechambers one reaches the Parade Bedchamber. The particularly sumptuous furnishings, which make this room of the island-palace the most costly chamber of its day, far surpass the much more modest original of Louis XIV in Versailles. This exaggeration, the desire to create a super-Versailles betrays the actual date, C19 and not C17. Unlike Versailles the Bedchamber leads into a Conference Room designed by Dollmann.

Parallel to the Parade Bedchamber with its anteroom and the Conference Room stretches a replica of the great Hall of Mirrors, at the King's wish exactly to scale, with its two square corner rooms, the "Hall of War" and the "Hall of Peace". Here Dollmann kept as closely as possible to the original in Versailles. In the light of more than 1800 candles the partial use of "substitute" materials is not noticeable.

In contrast to the State Appartement the chambers in which Ludwig II intended to live seem very intimate. The Bedchamber has blue furnishings, and the adjoining white-rose-gold cabinet is the only example of Louis seize style in the palace. All the rooms contain costly furnishings. In the Writing Room stands a replica of Louis XV's famous roll-topped desk, also three valuable clocks.

The most original rooms of the private chambers are surely the oval Dining Room with its huge chandelier of Meissen porcelain – a unique fabrication – and "Tischlein-deck-dich" (little table, serve dinner), the Blue Salon and the Rose Salon (Dressing Room) on the ground floor next to the Bathroom. These two Salons are Mirror Chambers like those so popular in South Germany in the C18. In contrast to the original however, the wide modern planed mirrors transform them into walled-in labyrinths with no sense of scale. A small Gallery completes the suite of private apartements. The King lived in them only once.

The garden was laid out by Carl von Effner in general lines. Only the middle part from the palace to the lake in an east to west axis could be completed. Two large basins and the Latona Fountain on a lower level enliven the formality of the garden planning.

Résumé français

Louis II

Louis naquit le 25 août 1845 à Nymphenbourg; il était le fils du roi Maximilien II et de la princesse Marie de Prusse. Son grand-père, le roi Louis Ier qui avait abdiqué en 1848 et dont l'anniversaire tombait le même jour que pour son petit-fils, devint son parrain. Louis et son frère Otto, son cadet de 3 ans, furent élevés sévèrement et tenus à distance de leurs parents.

Après la mort survenue à l'improviste de Maximilien II en 1864, Louis monta sur le trône à l'âge de 18 ans. Pendant la guerre de 1866 entre la Prusse et l'Autriche, la Bavière fut l'alliée de l'Autriche; Elisabeth, cousine de Louis, en était l'impératrice. La Bavière dut se soumettre à la suprématie militaire de la Prusse et prendre part à ses côtés à la guerre franco-allemande de 1870/71.

Après la conclusion de la paix le premier ministre prussien Bismarck concéda certes à la Bavière une certaine autonomie, mais en échange le roi de Bavière fut obligé de prier à contre-cœur le roi Guillaume de Prusse d'accepter la couronne impériale allemande.

A la suite de ces déceptions aussi bien politiques que privées, le roi se retira de plus en plus dans la solitude des montagnes. En sus de son amour des opéras romantiques de Richard Wagner, bâtir devint sa passion. Les châteaux de Neuschwanstein, Linderhof et Herrenchiemsee engloutirent des sommes toujours plus grandes que plus personne n'était disposé à fournir. Louis voulait régner non comme monarque constitutionnel dont la liberté de mouvements est limitée, mais comme monarque absolu. En ce qui concerne les affaires gouvernementales, il devint de plus en plus inabordable et se montra de moins en moins à ses sujets. Finalement une expertise bien contestable en 1886 reconnut Louis pour malade mental incurable (comme l'était en réalité son frère Otto). On le conduisit au château de Berg et c'est là qu'il trouva la mort dans le lac de Starnberg d'une façon encore obscure, le 13 juin 1886. Son oncle, le prince Luitpold, représenta comme gérant la monarchie en Bavière jusqu'á la mort d'Otto, frère de Louis.

Le château de Linderhof et son parc

Les déceptions politiques et privées de la première période de son règne firent naître en Louis II le désir de se créer un refuge dans les montagnes bien aimées très loin de «ce Munich habité tellement à contre-coeur». Son choix tomba sur le Graswangtal, vallée solitaire où son père avait déjà possédé un rendez-vous de chasse.

Son admiration pour l'ancienne dynastie des Bourbons et aussi une visite à Paris en 1867 firent qu'il rêvait d'avoir pour lui un «second Versailles». Celui-ci sera réalisé plus tard sous forme du château de Herrenchiemsee, mais l'intérieur du château de Linderhof – dans des proportions plus privées – ranima déjà la splendeur de ce rococo inspiré de Paris.

Georg Dollmann, disciple de Leo von Klenze, dessina les plans de ce châtelet à partir de 1868. Tout d'abord on ne fit qu'agrandir le pavillon de chasse qui existait déjà. Les travaux furent terminés en 1872. C'est seulement après 1874 que Linderhof reçut son apparence actuelle. On démolit la vieille maison en bois et on compléta la constuction pour en faire une «villa royale». Au complexe comprenant la chambre à coucher s'ajouta alors l'aile sud avec un vestibule et trois pièces au-dessus, tandis qu'on construisait une cage d'escalier dans l'ancienne cour. En 1878 les travaux furent terminés.

La façade sud est le côté de parade somptueux de ce châtelet à deux étages et sert aussi d'entrée. A la demande du roi, l'extérieur de l'édifice devait être aussi entièrement de style rococo. La création de Dollmann, architecte bien formé et qui imitait les styles historiques, est une sorte d'éclectisme entièrement tourné vers le XIXe siècle; il comporte des éléments empruntés aux styles de Louis XIII à Louis XVI et fait penser, pour l'aspect global, au Zwinger (château) de Dresde et à la Résidence de Wurtzbourg.

L'intérieur est tout entier décoré dans le style du 18e siècle. Grâce à cette décoration intérieure qui s'appuie sur des modèles français mais aussi sur la tradition locale, Louis II créa après Paris et Vienne un nouveau centre du «nouveau rococo». Ce qui est typique, c'est un penchant accru pour la pompe et le faste. Georg Dollmann était aussi responsable de la décoration intérieure; mais le roi avait des idées fort précises et souvent apportait lui-même des corrections aux plans.

Bien que le plan d'ensemble n'ait pris forme que petit à petit, l'architecte a réussi à faire de ces différentes et multiples formes d'architecture, l'une étant en fonction de l'autre, un bâtiment esthétiquement plein d'attrait et pourtant parfaitement symétrique.

Par les trois grands portails sud on pénètre dans un vestibule, puis dans une antichambre et dans la cage de l'escalier. Ces pièces ont une forme relativement simple; ce n'est qu'au premier étage qu'apparaît une richesse de décoration grandiose se déployant à perte de vue.

Par la salle des Gobelins dite de l'ouest ornée de peintures imitant des tapisseries et d'un paon en porcelaine de Sèvres – c'était en sus du cygne l'animal préféré du roi – on pénètre dans l'enfilade de pièces à gauche. Placés symétriquement, le cabinet jaune, la salle d'audience ovale avec un trône imposant à baldaquin et le cabinet lilas mènent à la pièce principale du château: la chambre à coucher. Elle a vue sur la cascade qui tombe du haut de la montagne, derrière le château, et montre un luxe prodigue. La décoration actuelle remonte à une transformation qu'entreprit après 1884 le peintre et architecte Eugen Drollinger. De l'autre côte, le cabinet rose, la salle à manger ovale avec le fameux «Tischlein-deck-dich» (grâce à un mécanisme cette table servante descendait à la cuisine et en remontait toute dressée; le roi pouvait ainsi prendre ses repas sans être dérangé par les domestiques), et le cabinet bleu conduisent au pendant de la première salle des Gobelins (dite de l'est). Entre les deux se touve au-dessus de l'entrée la salle des glaces, antipode de la chambre à coucher. Le peintre de décors Joseph de la Paix en fit les plans. C'est la pièce la plus fastueuse du château. Le motif si caractéristique pour les châteaux allemands construits en style baroque devient ici nettement fantastique.

Carl von Effner a créé le parc autour du château de Linderhof. Il partit de la théorie valable à cette époque de l'«architecture des jardins»: près du bâtiment ce parc est strictement axial et stylisé, plus loin il crée un passage aussi naturel que possible mais pittoresque au site des hautes montagnes environnantes.

Au nord-est du château on érigea le kiosque mauresque acquis en 1876. Ce pavillon construit en fer abrite à l'intérieur un trône surmonté de trois paons et toute la magie de l'Orient; dans son entourage alpin il apporte une note exotique extraordinaire. En outre la grotte de Vénus se dissimule dans le parc; c'est un pastiche d'une scène de l'acte I de Tannhäuser, opéra de Richard Wagner. On peut illuminer la grotte de plusieurs façons, même en bleu comme dans la célèbre grotte de Capri. Le roi se faisait volontiers mener en barque – elle avait la forme d'une coquille – sur les eaux houleuses de cette grotte fantastique, afin de se réfugier dans un monde imaginaire.

Le château de Neuschwanstein

Le 13 mai 1868 le roi Louis II écrivit à Richard Wagner qu'il avait l'intention de faire rebâtir les ruines du vieux château féodal de Vorderhohenschwangau dans le style des anciens châteaux seigneuriaux allemands.

Déjà en 1832 son père, Maximilien II, avait fait reconstruire les ruines du château voisin de Schwanstein et y avait habité avec sa famille. Les peintures murales s'inspirant de la mythologie allemande et l'ambiance féerique de Hohenschwangau – ainsi fut nommé ce château – firent une impression durable sur l'adolescent qu'était Louis. Maintenant qu'il était roi, il voulait, loin des importunités de sa mère, se créer un nouveau paradis qui rappellerait les opéras bien aimés «Tannhäuser» et «Lohengrin». Une visite en 1867 à la Wartburg (château fort) près d'Eisenach ainsi que les nouvelles mises en scène de ces deux opéras lui avaient donné la dernière impulsion.

On pensa d'abord reconstruire simplement le «nouveau château de Hohenschwangau», qui reçut le nom de Neuschwanstein seulement après la mort du roi. Le directeur des bâtiments royaux, Eduard Riedel et le peintre de décors Christian Jank furent chargés de dessiner les plans de Neuschwanstein. Au cours de l'été 1868 déjà, ils présentèrent les plans d'une nouvelle construction gigantesque comportant le bâtiment d'entrée, le chauffoir, la maison des chevaliers, le palais et le donjon de style roman, à la demande du roi, «comme les Anciens avaient construit leurs châteaux». En 1868 on entreprit les travaux préparatoires, en 1869 on posa la première pierre. On commença par le bâtiment d'entrée que le roi voulait habiter le plus tôt possible, afin de pouvoir lui-même veiller sur les travaux. Cependant cette construction ne fut parachevée qu'en 1873.

A partir de janvier 1872 Georg Dollmann, qui construisait en même temps le château de Linderhof, prit la direction des travaux. Ceux-ci n'avançaient que lentement, surtout à cause des difficultés constantes de financement. En 1880 seulement fut achevé le gros oeuvre du palais dont la façade étroite de six étages surplombe la cour supérieure et qui renferme aujourd'hui les pièces à la décoration la plus remarquable.

A la mort de Louis II on avait en outre exécuté le gros oeuvre du chemin de ronde couvert qui reliait le bâtiment d'entrée et le palais; ce n'est que plus tard que tous les autres éléments de construction furent achevés sous une forme simplifiée, afin de communiquer aux personnes admises peu après à visiter l'image d'une construction complète.

Jusqu'à la mort de Louis on put achever la décoration intérieure du palais au troisième et quatrième étage comportant les pièces les plus importantes: l'appartement royal, la salle du trône et la salle des chanteurs. Toute la décoration intérieure «romane» est l'oeuvre de Julius Hofmann, qui avait déjà travaillé au château de Miramare près de Trieste pour l'archiduc Maximilien. Seule la chambre à coucher reçut la décoration de style gothique flamboyant qu'on avait prévue à l'origine. Les motifs des peintures murales furent composés par le Munichois Hyazinth Holland, historien de l'art et de la littérature. Il choisit pour modèles des poèmes, des fables, des légendes ainsi que des contes folkloriques allemands et des mythes du passé germanique, néanmoins dans l'appartement royal presque uniquement des thèmes tirés des opéras wagnériens. Des peintres relativement inconnus, presque tous sortis de l'Académie Munichoise, furent chargés de l'exécution; on dut souvent l'accélérer en travaillant la nuit et avec des assistants. Le roi tenait moins à de fortes personnalités artistiques ayant un style propre qu'à la minutie des détails et la «vérité historique».

L'appartement royal, situé dans la partie est du troisième étage, consiste en deux rangées contigües de pièces. Deux étroites antichambres isolent l'appartement du vestibule. Le visiteur traverse ensuite la salle de l'officier d'ordonnance et le cabinet de travail, l'un et l'autre étant divisés par des arcades en une sorte de couloir et en chambre proprement dite. De lourds lambris, sur les murs des scènes peintes de la légende de

Tannhäuser, des étoffes richement brodées et une armoire précieuse déterminent l'aspect du cabinet de travail. Il s'y rattache une petite grotte artificielle qui fait allusion au Venusberg (montagne de Venus) dans Tannhäuser, ainsi qu'un jardin d'hiver. La salle de séjour possède une fenêtre en saillie et une sorte d'alcôve pour s'asseoir. Des scènes de la légende de Lohengrin y sont représentées. Un cabinet de toilette orné de peintures idylliques sur la vie et l'oeuvre poétique de Walther von der Vogelweide et de Hans Sachs mène à la pièce comme toujours la plus pompeuse du logement: la chambre à coucher. Une forêt de pinacles sculptés, de style gothique flamboyant, surmonte le lit; une liseuse et une table de toilette complétent l'ameublement; des scènes de «Tristan et Yseult» décorent les murs. D'ici on peut se rendre dans une petite chapelle particulière, un encorbellement et un petit balcon s'ouvrent sur la Pöllatschlucht (gorge). Puis vient la salle à manger, dernière des pièces particulières, tout entière en rouge, avec des peintures relatant la vie des minnesaenger à la Wartburg (château féodal). Enfin une autre antichambre et le couloir ramènent au vestibule. Un escalier en colimaçon qui s'achève en un palmier fantastique sous un ciel nocturne semé d'étoiles, mène au quatrième étage. Ici le visiteur trouve la salle des chanteurs, suggérée par la salle historique de la Wartburg. Un projet du peintre de décors Christian Jank et les plans de Julius Hofmann (1882/83) déterminent son aspect. Ici la notion de Tannhäuser et le mythe du Saint-Graal exerçaient leur charme sur le roi, qui était complètement obnubilé par ces idées.

De l'autre côté du vestibule Louis réalisa avec la salle du trône sa notion de royauté de droit divin. Tout entière de style bysantin et commencée en 1884, cette salle de parade devint le symbole de sa tâche de souverain, qu'il voulait voir dans la tradition des grands législateurs de ce monde. Cette salle ne fut jamais complètement achevée.

Le château de Herrenchiemsee

La construction du château de Herrenchiemsee situé sur une île et destiné, selon les conceptions de Louis II, à figurer «Versailles dans toute sa majesté», est le témoignage le plus impressionnant de la haute estime et de l'idéalisation qu'inspiraient à Louis la dynastie des Bourbons et l'absolutisme qu'elle incarnait. Déjà en 1868 il était fermement résolu à se faire bâtir ce château. Mais d'abord ce projet fut ajourné au profit de l'édification de Linderhof, «villa royale». Louis entreprit lui-même d'étudier à fond la vie et les châteaux des rois de France. Chaque détail l'intéressait, et il apportait sans cesse des corrections aux plans. L'emplaçement approprié fut trouvé en 1873, lorsqu' on mit en vente l'île de Chiemsee (lac). Bien que Louis n'aimât guère le paysage plat du Chiemgau, il était charmé par l'isolement et la solitude d'une île particulière.

Georg Dollmann traça aussi les plans de ce château. C'est seulement le 12 mai 1878 que fut posée la première pierre et qu'on commença à bâtir.

Le château n'était pas une copie absolue de Versailles; en effet le roi s'intéressait tout aussi peu aux plus anciennes parties de Versailles, bâties par plusieurs générations, qu'aux autres pièces en dehors des «grands appartements». Ce qu'il prenait surtout à coeur, c'était comme toujours la chambre à coucher, âme du château absolutiste. En 1875 déjà, trois ans avant même qu'on ait entrepris les travaux, il commanda l'immense lit de parade. Puis vint la galerie des glaces; ces deux pièces étaient aux yeux de Louis II indissolublement liées à l'image qu'il se faisait de Versailles. Le côté ouest du château qui ressemble le plus à son illustre modèle est une copie assez fidèle de la célèbre façade côté jardin de Versailles, oeuvre de Jules Hardouin-Mansart. En 1907 on redémolit une aile nord, l'aile sud étant seulement à l'état de fondement, lorsqu'en 1885 on décida d'arrêter les travaux.

En 1884 Dollmann tomba en disgrâce et Julius Hofmann, nouveau conseiller suprême des bâtiments royaux, lui succéda. Il prit une part décisive à la décoration intérieure de Herrenchiemsee qui commença en 1879. On acheva seulement les salles officielles – le roi n'eut pourtant jamais l'intention d'y habiter – ainsi que son appartement privé. Les artistes et les artisans étaient pour la plupart ceux de Linderhof. L'édifice tout entier a coûté 16 579 674 marks.

La montée officielle à l'étage principal est la magnifique cage de l'escalier d'honneur achevée en 1884. C'était une copie de l'escalier des ambassadeurs à Versailles, qui d'ailleurs dut lui-même céder la place en 1752 aux appartements privés de Louis XV. Cependant les statues en stuc d'un blanc cru et surtout le toit de verre donnent à cette cage d'escalier une note incontestable du XIXe siècle.

Par le «Hartschiersaal» (salle des gardes du corps) et les deux antichambres, on arrive dans la chambre à coucher de parade. La décoration extrêmement somptueuse, qui faisait de cette pièce du château situé sur une île la chambre la plus précieuse de son époque, surclasse de loin l'original beaucoup plus modeste de Louis XIV à Versailles. Cette outrance, ce désir de créer un super-Versailles révèlent encore que la création est bien du XIXe et non pas du XVIIe siècle. A la chambre à coucher s'adjoint – à la différence de Versailles – une salle du conseil conçue par Dollmann.

Parallèlement à la chambre à coucher de parade avec son antichambre et sa salle du conseil s'étend une copie à l'échelle de la grande galerie des glaces, exigée par le roi et flanquée de ses deux salles carrées: la salle de la guerre et celle de la paix. Dollmann se tint autant que possible au modèle Versaillais. A l'éclairage de plus de 1800 bougies, on ne remarque pas l'emploi de «matériaux de remplacement» en partie usagés.

En face de l'appartement officiel les pièces destinées à être habitée par Louis II donnent une impression de grande intimité. La chambre à coucher est bleue, le cabinet de toilette contigu, rose et doré, est la seule pièce de style Louis XVI. Toutes les chambres renferment une décoration précieuse. Dans le cabinet de travail se trouvent la reproduction du fameux bureau à cylindre de Louis XV et trois pendules de grande valeur.

Les pièces les plus originales de l'appartement passent pour être les suivantes: le cabinet ovale de porcelaine avec le lustre géant en porcelaine de Meißen, fabriqué une seule fois, et la salle à manger avec le «Tischlein-deck-dich» (un mécanisme faisait descendre la table servante dans les cuisines et elle remontait toute dressée), le salon bleu clair et le salon rose situé au rez-de-chaussée à côté de la salle de bains. Ces deux dernières pièces sont des cabinets des miroirs, tels qu'on les appréciait au 18e siècle en Allemagne du Sud. Les miroirs modernes à grande surface polie en font cependant – contrairement aux cabinets des glaces de l'époque – un labyrinthe sans issue de démesure. Une petite galerie termine l'enfilade des pièces du petit appartement. Le roi n'y a logé qu'une seule fois.

Carl von Effner put seulement créer les traits principaux du jardin. On réalisa uniquement la partie médiane de l'axe est-ouest qui mène du château au lac. Deux grands bassins et la fontaine de Latone située plus bas animent cet emplacement en forme de jardin.